杜瑩◎編著　　朝畫夕食◎繪

中華教育

台北故宮博物院

漫話國寶 09 台北故宮博物院

杜瑩◎編著
朝畫夕食◎繪

責任編輯 吳黎純
裝幀設計 陳淑娟
排版 陳淑娟
印務 劉漢舉

出版 中華教育
香港北角英皇道四九九號北角工業大廈一樓B
電話：（852）2137 2338 傳真：（852）2713 8202
電子郵件：info@chunghwabook.com.hk
網址：http://www.chunghwabook.com.hk

發行 香港聯合書刊物流有限公司
香港新界荃灣德士古道220-248號
荃灣工業中心16樓
電話：（852）2150 2100 傳真：（852）2407 3062
電子郵件：info@suplogistics.com.hk

印刷 深圳市彩之欣印刷有限公司
深圳市福田區八卦二路526棟4層

版次 2021年3月第1版第1次印刷

規格 16開（170mm×240mm）
ISBN 978-988-8758-14-2

目錄

台北故宮博物院坐落於台北市士林區，是仿照北京故宮樣式設計的宮殿式建築，白牆綠瓦，莊重典雅，富有濃厚的中華民族特色，不但是中國收藏文物藝術精華之所在，更是研究古代中國藝術史和漢學的重鎮。

台北故宮博物院藏品之豐舉世公認，典藏品數量近 70 萬件。其中以陶瓷、書畫最為精彩，此外還有大量青銅器、玉器、漆器、多寶格琺瑯器、雕刻、織繡、善本圖書及滿蒙檔案文獻等眾多珍貴的藏品。

第一站

富春山居圖

個人檔案

姓　　名：富春山居圖（無用師卷）

年　　齡：600 多歲

血　　型：紙本型

職　　業：畫卷

出生日期：元朝

出 生 地：浙江省富春江

現居住地：台北故宮博物院

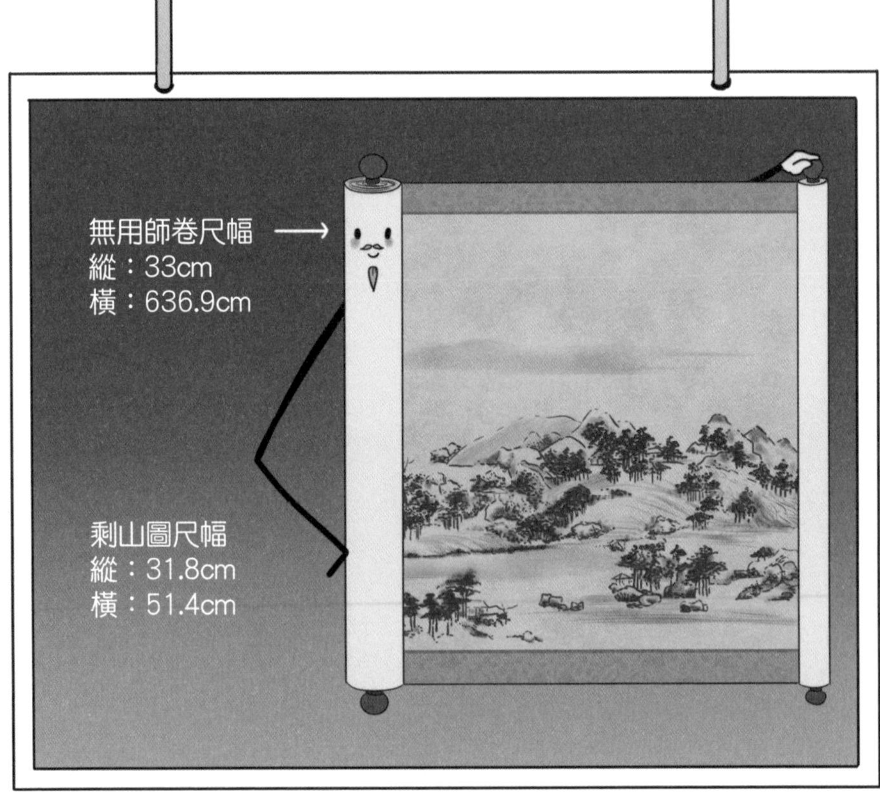

8月24日　星期六　　晴 

噓，你們去過浙江的富春江嗎？那兒的山水可美了！古時候雖然沒有相機，但是有人把這麼美麗的景色用筆墨畫了下來。爺爺說《富春山居圖》是「畫中之蘭亭」。《蘭亭序》可是最最著名的書法作品呀，地位這麼高的富春山居圖先生我可要好好拜會拜會！

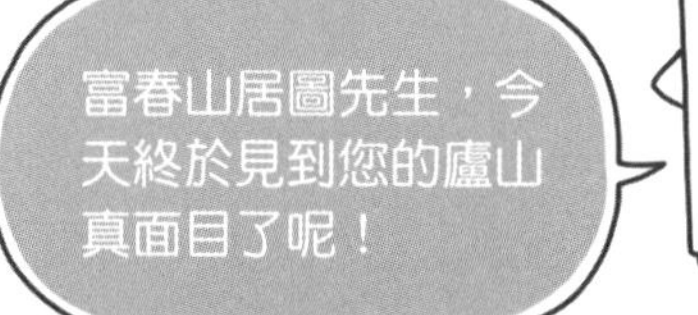

富春山居圖 =

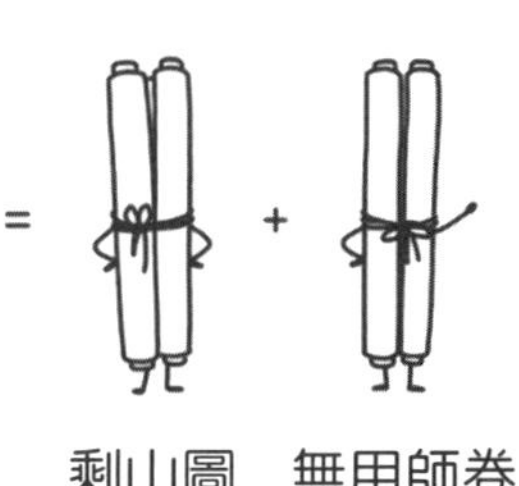

你不能這樣叫我哦，我只是富春山居圖的下半卷而已，我叫「無用師卷」，我的哥哥叫「剩山圖」，他目前住在浙江省博物館。我們兩兄弟合起來才是完整的「富春山居圖」呢。

啊，那也太可惜了！好好的畫，怎麼會變成兩截了呢？

明朝末年，在江南宜興有一個古玩收藏家叫吳洪裕，他的父親臨終前將《富春山居圖》傳給了他。

吳洪裕得到之後欣喜若狂，為了收藏這件寶貝，他修建了一棟樓，叫作「雲起樓」，為了防火，還將這棟樓修在了水邊。

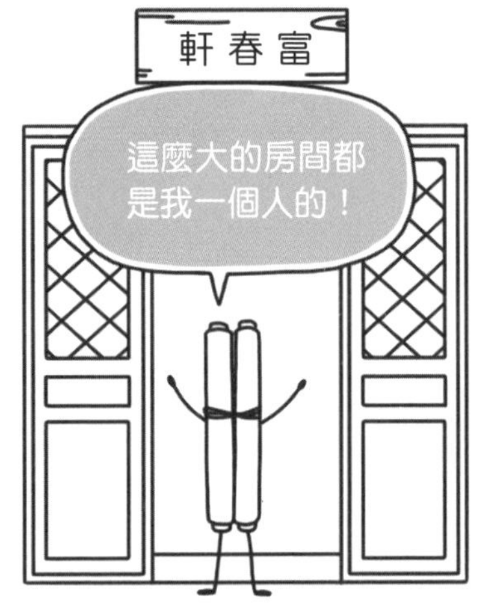

樓裏面有個很大的房間叫作「富春軒」，專門用來收藏《富春山居圖》。

自此之後，吳洪裕就整天流連於此，

日日與《富春山居圖》相伴。

後來時局混亂，戰火紛飛，吳洪裕迫於無奈，只好帶着全家老小逃難。好多金銀珠寶、古董珍玩都不要了，而《富春山居圖》一直被他帶在身邊。

再後來吳洪裕病重，彌留之際，他的眼睛死死盯着枕頭邊的一個寶匣，拚盡全力吐出一個字：「燒！」這件人間至寶就這樣被投進了火盆。

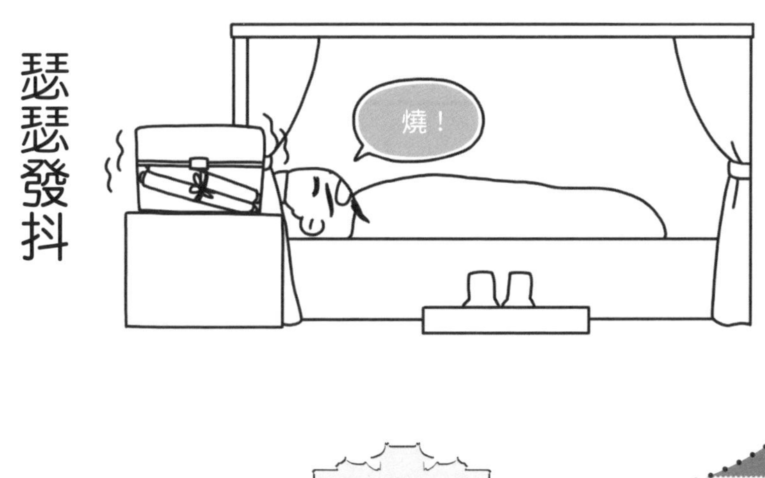

火焰迅速吞噬了寶匣。就在這千鈞一髮之際，火盆邊突然竄出一個人，他抓住火中的畫用力一甩，愣是把畫搶了出來。這人名叫吳靜庵，是吳洪裕的姪子。

畫雖然被救下來了，但起首部分已經被燒毀，全畫還斷成了兩截。後來吳家子弟吳寄谷得到這幅殘卷，他將燒焦部分細心揭下，重新接拼，修復成了「無用師卷」和「剩山圖」。

好好的一幅山水長卷神品從此一分為二，原本延綿不絕的富春山美景也因此支離破碎。

傷心歸傷心，欲絕倒未必！作為元代非常著名的**畫家**，黃老先生有一顆超級強大的心臟。

才不是呢！

這位「開掛」的老先生經常會背個小皮囊，裏面放上各種畫具，流連於山水間。他有時如痴如醉地沉浸在如畫風景中，有時乾脆整日在山中靜坐，擱現在絕對是個熱愛大自然的超級「驢友」！

富春江北面有座大嶺山，黃老先生晚年曾經隱居在此，他的足跡踏遍了這裏的山山水水。每次見到漂亮的景色，他都會拿出隨身帶着的紙筆，把美景畫下來。

所以最終創作出《富春山居圖》這樣的傳世巨作，

成為 中國十大傳世名畫 之一。

古代的藝術家們用畫筆記錄了中華綿延五千多年的悠久歷史和橫亙萬里的錦繡河山，他們創造的這些傳世名畫是中國美術史上的豐碑，是華夏文明的巨著，也是我們中華民族的驕傲！

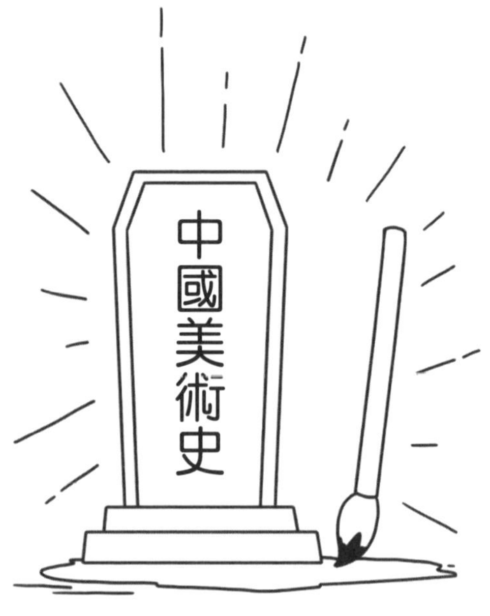

鼓掌！撒花！

誰都不許和我搶中心位！

我的粉絲在哪裏？

姿勢一定要酷！

《洛神賦圖》

《清明上河圖》

《富春山居圖》

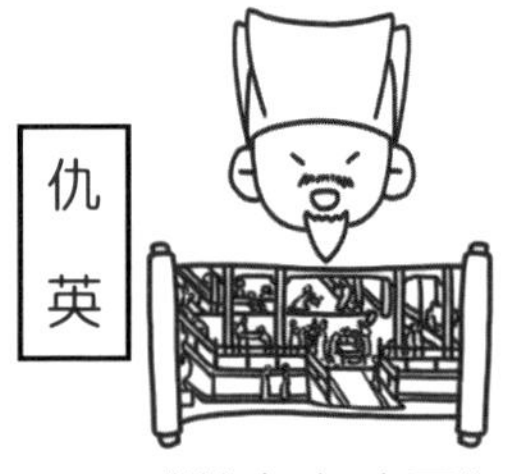

《漢宮春曉圖》

《百駿圖》

《步輦圖》

《唐宮仕女圖》

《五牛圖》

韓滉

《韓熙載夜宴圖》

顧閎中

《千里江山圖》

學習貴在持之以恆哦。

黃公望老先生這麼厲害是因為從小就拜師學畫嗎？

不是哦！

黃老先生寫得一手好字，還會作詩寫詞。他做過小官，後來因為受到誣告還蹲了牢房，真正開始專心於畫山水畫是在 50 歲以後了呢。經過勤奮刻苦的學習，黃公望最終成為一代大師。

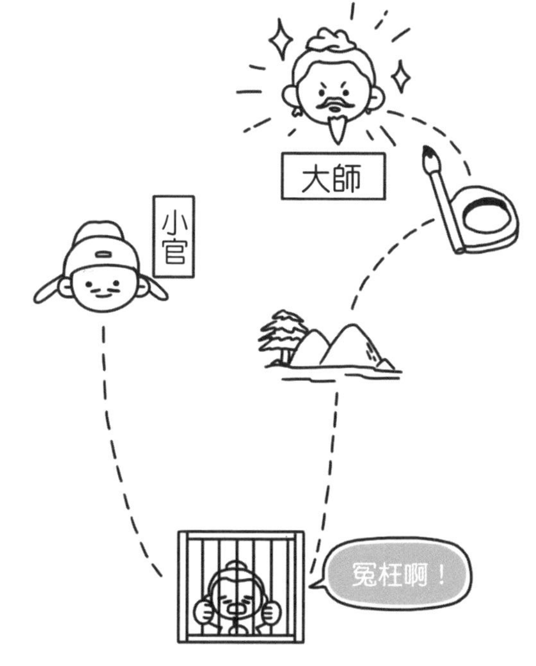

來，先乾了這碗黃公望牌 雞湯！

雖然黃老先生這麼給力，但是他的大作——你們兄弟倆一直分隔兩地，不能合二為一還真是遺憾啊！

知足常樂嘛！想當年能從火海裏被解救出來，獲得新生，兄弟倆已經覺得萬分 幸運 了！

在 2011 年 6 月，兄弟倆分隔多年後首次團聚，在台北故宮博物院首度合璧展出，不知驚豔了多少人呢！

小小博士

元代有四位特別著名的繪畫大師，尤其擅長畫水墨山水，被後人尊稱為「元四家」，分別是：黃公望、吳鎮、倪瓚和王蒙。通過不懈地探索和努力，他們使中國山水畫的筆墨技巧達到了一個高峯，對後世的繪畫也有着非常深遠的影響。

請說出「元四家」。

我教你一個方法，你就想着「黃泥（倪）打吳王」，這樣是不是很容易記住啊？

哈哈劇場

之「就看一眼」

把你珍藏的名畫打開讓我開開眼唄！
好吧，就看一眼哦。
開！
啊，我甚麼都沒看到啊！
合！
求求你了，再讓我看一眼吧！
好吧，好吧。
開！
你倆消停點兒吧，我快吐了……

文物日誌

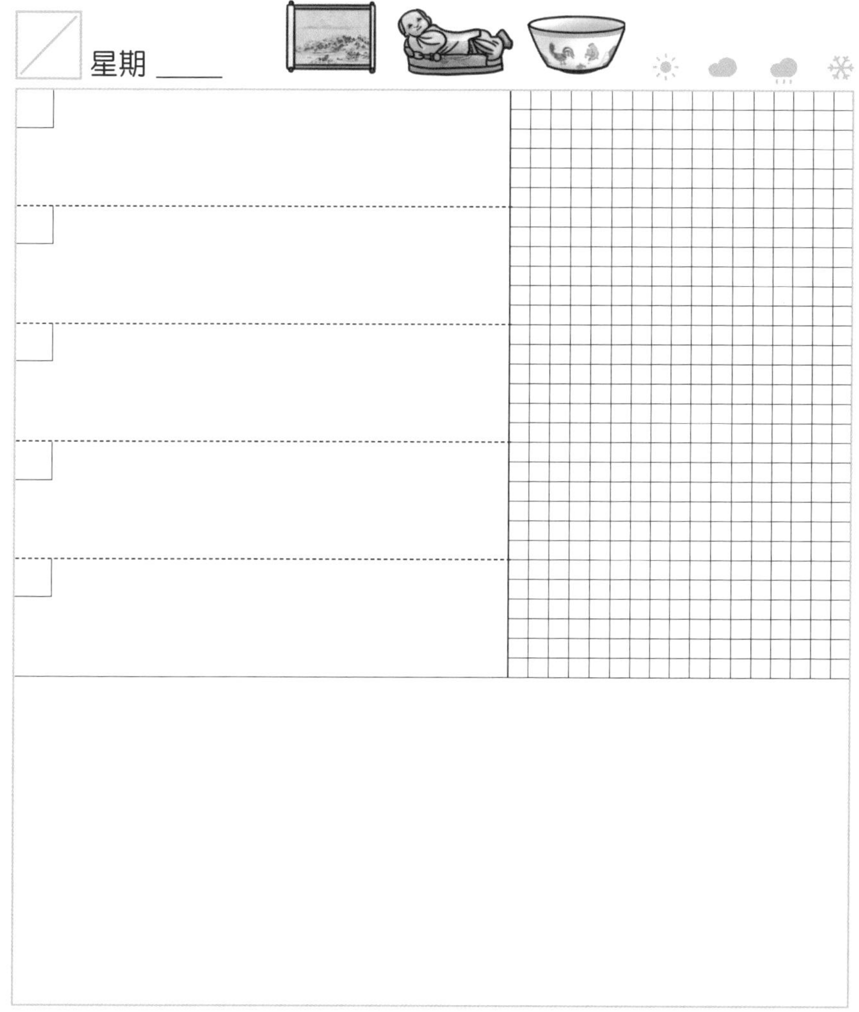

第三站

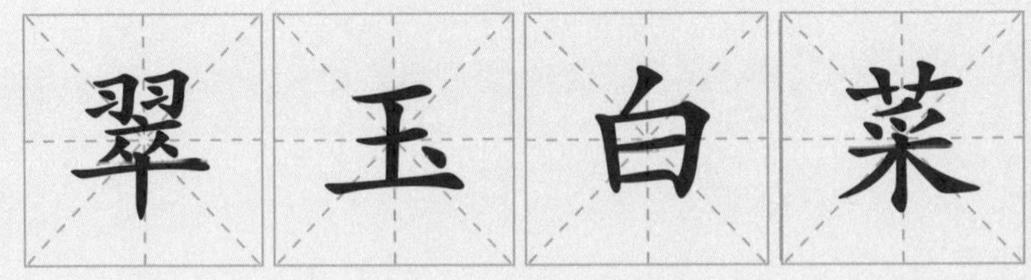

個人檔案

姓　　名：翠玉白菜
年　　齡：100 多歲
血　　型：翠玉型
職　　業：擺件
出生日期：清朝
出 生 地：紫禁城永和宮
現居住地：台北故宮博物院

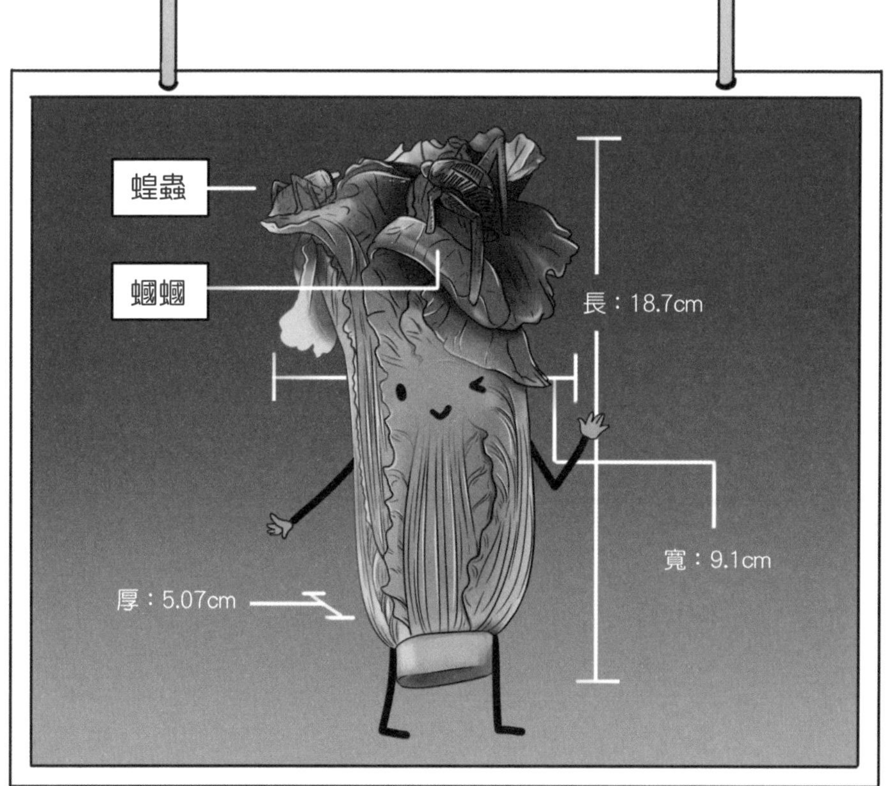

8月27日　星期二　　晴

爺爺說，台北故宮博物院的鎮館之寶中有兩道菜會讓人饞得流口水。鎮館之寶怎麼會是菜？？爺爺賣關子不告訴我，只說一道是葷菜，一道是素菜。哼！那我只好自己來找嘍！

哈哈，除了我，還有一個就是他嘍！

哇，是東坡肉啊！我肚子餓了！

又來個小吃貨！

肉形石

白菜姐姐，您真的只是用一塊翠玉雕成的嗎？不是一塊綠的玉和一塊白的玉拼起來的嗎？

我的確是由一整塊翡翠雕刻而成的！

只是這塊翡翠色澤比較特殊，

一半灰白、一半翠綠。

工匠們獨具匠心，按照翡翠自然天成的外形和白綠的色澤，巧妙地把綠色的部位雕成菜葉，把灰白的部位雕成了菜幫子。

我來給你們介紹一下，

這個是大嗓門小蟈，　　那個是小齙牙阿蝗。

咦，蟈美麗，你的鬚子
怎麼斷了一小截？

真是令人遺憾呢！

這件珍貴的國寶經歷了數十年的戰亂，飽受輾轉流離之苦，在 1948 年被國民黨政府從南京帶到了台北，有可能是在運輸過程中受損。

白菜葉裏最常見的不是
小蝸牛嗎，白菜姐姐您
為甚麼選蟈蟈和蝗蟲當
好朋友呢？

你們這些沒良心的！
是嫌我動作慢給你們
拖後腿嗎？

因為蟈蟈和蝗蟲有着非常特殊的寓意。

‖ 寵物招養告示 ‖

翠玉白菜小姐因為太過孤獨，所以想招養兩隻寵物，要求如下：

- 繁殖能力強
- 熱愛美食
- 體重輕
- 會唱歌解悶

蟈蟈和蝗蟲每次產卵數量都非常多，所以古人用牠們來象徵

多子多孫，興旺繁盛。

原來是這樣！

那小魚、青蛙產的卵也很多的，
也有多子多孫的寓意嗎？

這次是幾胞胎？
唉，6 胞胎……
28 胞胎，你呢？

一點沒錯！古代很多器物上
都會畫上魚和蛙的圖案。

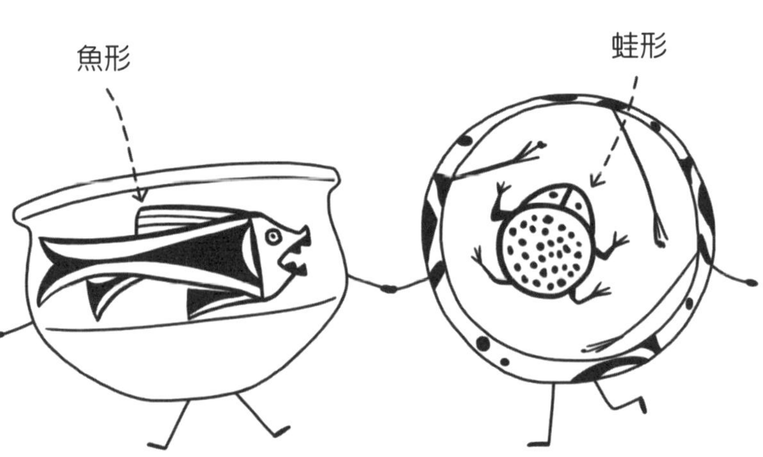
魚形
蛙形

除了這些動物，還有很多植物也有此類寓意，

比如石榴和葫蘆。

石榴可是歷代文人墨客吟詩作畫的重要對象，也是古人最喜愛的植物之一。石榴的肚子裏都是石榴寶寶，寓意多子，同時也是團結、繁榮、昌盛、和諧、幸福的象徵。

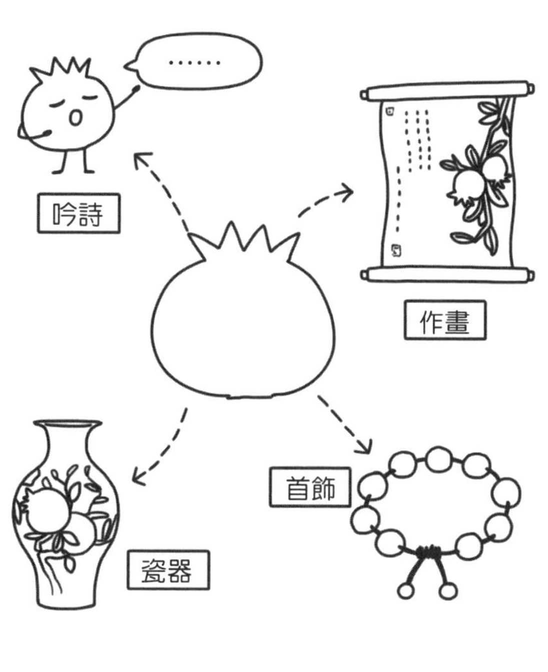

看拼音，寫漢字。

hú lu wàn dài

（福 祿）（萬 代）

葫蘆的寓意是由諧音而來的。葫蘆諧音「福祿」，其藤蔓枝葉被稱為「蔓帶」，與「萬代」諧音，葫蘆蔓帶就是「福祿萬代」，可是非常吉祥的象徵，所以古人喜歡以葫蘆寓意子孫滿堂、世代綿延。

除了動物、植物，還有些特殊的物件，也是中華文化中多子多孫寓意的象徵。

比如油紙傘，客家人在為女兒準備的嫁妝中常常會放一對油紙傘，「紙」又與「子」諧音，作為嫁妝有「早生貴子」的意思在裏面。

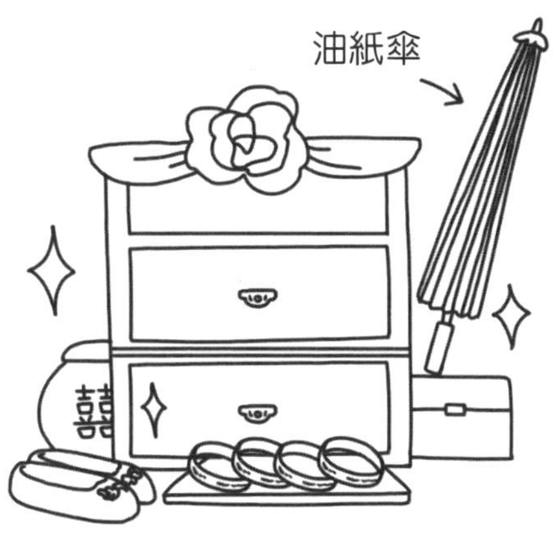

古時候寫的「傘」字裏，一共有5個「人」字，在大「人」下有4個小「人」，寓意多子多孫。這一習俗現今在一些地區仍然流行、延用。

中國千百年來一直是農業社會，大部分家庭都要忙着在田裏幹活，家裏人口愈多，就有愈多的**勞動力**，也就意味着有更多的收穫。

而且古時候天災、疾病頻發，醫療水平也不高，人的平均壽命不長，加上戰爭、饑荒，**人口損耗**的數量是很大的。

所以**人丁興旺**對古人來說有着非比尋常的意義。

白菜諧音「百財」，象徵着財源滾滾，所以白菜又叫「發財菜」；

白菜也代表着平安與健康，自古民間就有「白菜豆腐保平安」的說法；

另外，白菜還有「清清白白」，為人堂堂正正的意思，也用來象徵女子純潔。

白菜姐姐身上有象徵多子多孫的昆蟲，我猜您是送給新娘子的禮物吧？

小滿，你真是神探啊！

　　翠玉白菜原來是紫禁城裏永和宮的陳設品，永和宮是清朝光緒皇帝的妃子瑾妃居住的宮殿，所以大家推測翠玉白菜可能是瑾妃嫁入皇宮時的嫁妝。

那瑾妃是不是如願給光緒皇帝生了很多小孩呀？

唉，願望很美好，事實卻很殘酷呢！

　　他們沒有孩子。光緒皇帝不喜歡瑾妃，他喜歡瑾妃的妹妹珍妃，瑾妃是皇宮裏一位可憐的女人。

咕嚕
咕嚕
咕嚕
肚子餓了……
幹甚麼……你
想幹甚麼！
我是塊石頭啊！咬下去，你的門牙就都掉了！
生氣

小小博士

說起翠玉白菜，最著名的就是台北故宮博物院的這一棵，但在天津博物館也有棵翠玉白菜，人稱「凍白菜」，也是精巧絕倫。

為甚麼叫「凍白菜」呢？原來這塊翡翠原石中天然含有白、綠、黃三種顏色，工匠沒有迴避黃色的翠質，而是大膽地將其留在了菜幫上，表現出了白菜被霜凍後有點蔫黃的感覺，特別生動形象。這棵凍白菜的菜心處也有兩隻蟈蟈，個頭比台北的蟈蟈還大些，更有趣的是，菜上還多了一隻螳螂，螳螂和蟈蟈好像正低頭說着悄悄話，格外妙趣橫生。

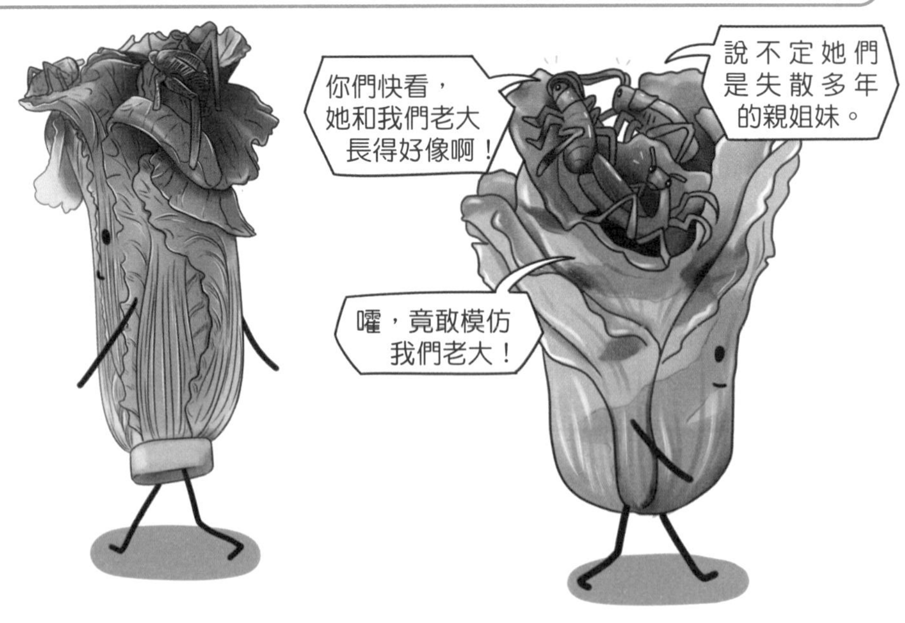

哈哈劇場

之

「泡澡」

文物日誌

／ 星期 ____

第三站

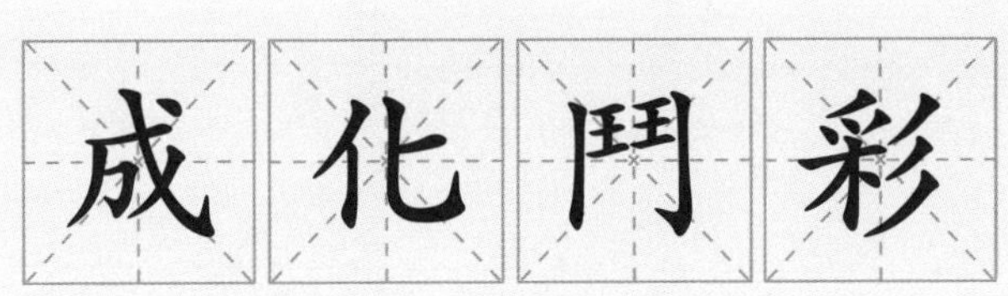

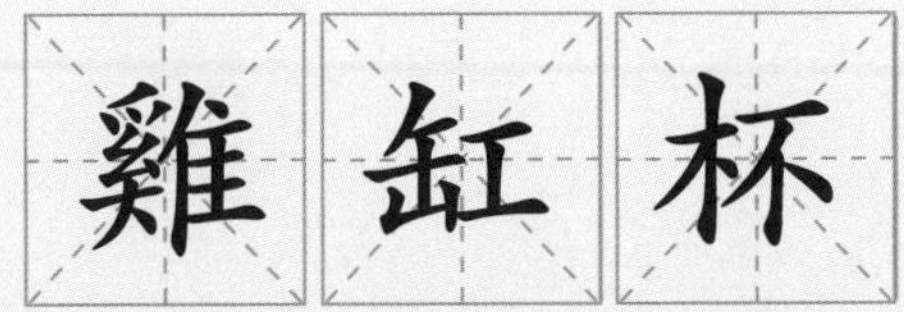

個人檔案

姓　　名：成化鬥彩雞缸杯
年　　齡：500 多歲
血　　型：瓷型
職　　業：器皿
出生日期：明朝
出 生 地：不詳
現居住地：台北故宮博物院

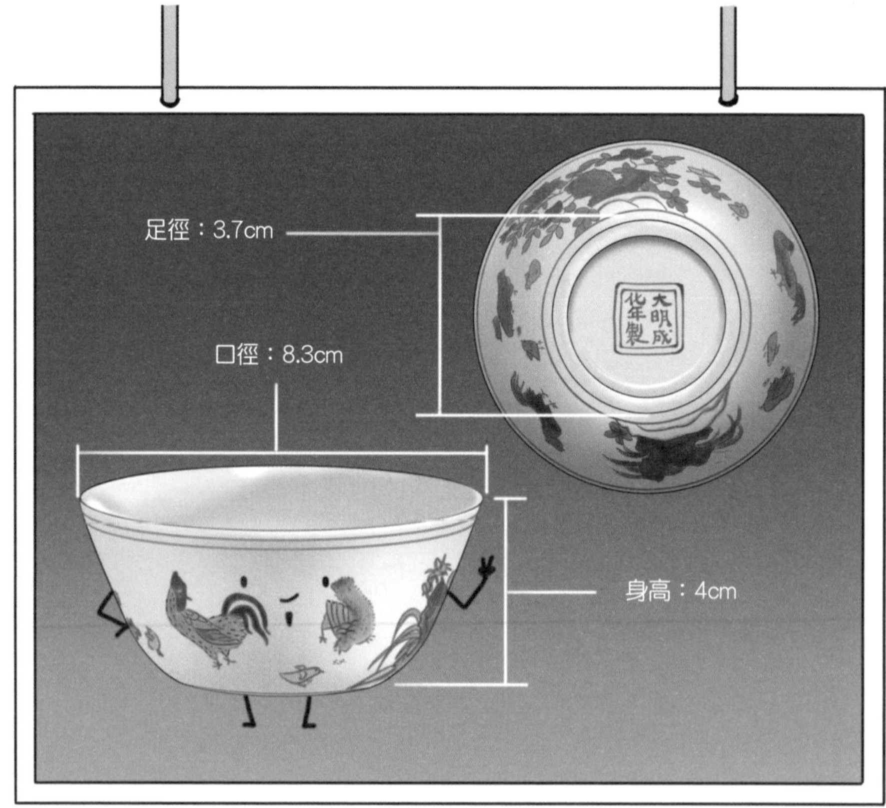

8月30日　星期六　　小雨

　　你知道世界上最貴的杯子值多少錢嗎？我猜你一定猜不到，因為爺爺告訴我的時候，我的下巴都差點兒驚得掉下來。這個身價非凡的杯子就是雞缸杯大哥，一想到今天要見到這麼昂貴的杯子，我都忍不住緊張起來。

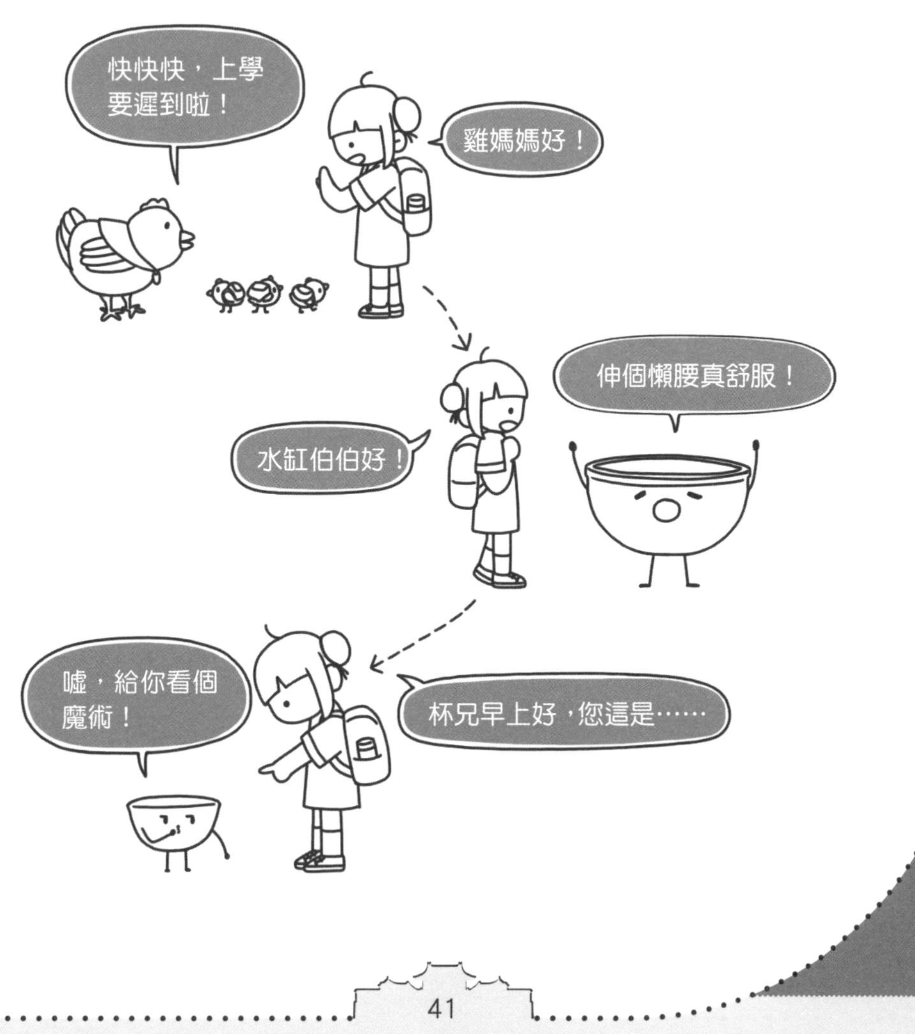

1、2、3，變！變！變！

你離那麼遠幹甚麼？

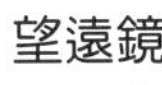

超長距離

爺爺說您值很多很多錢，我緊張！

我可沒你想的那麼脆弱。

知道為甚麼叫雞缸杯了吧。杯子上有雞的圖案，而杯子的形狀像水缸，所以叫**雞缸杯**。

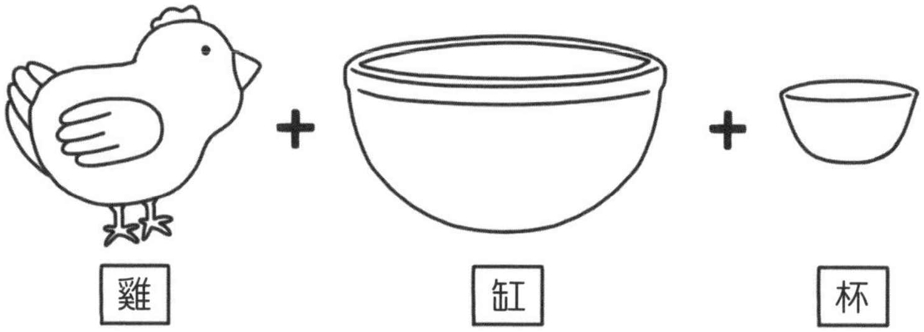

雞　缸　杯

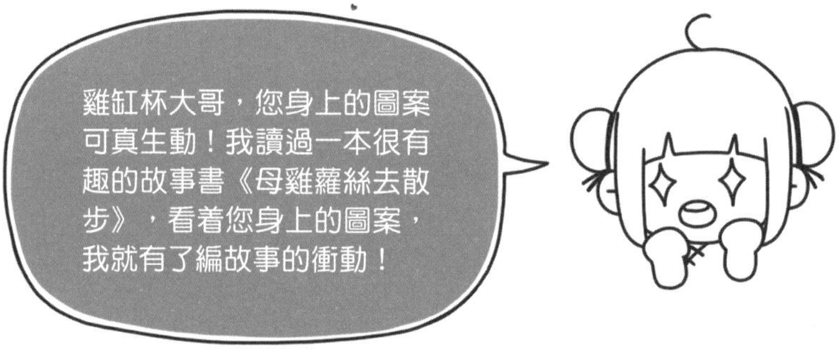

雞缸杯大哥，您身上的圖案可真生動！我讀過一本很有趣的故事書《母雞蘿絲去散步》，看着您身上的圖案，我就有了編故事的衝動！

你好，我是來自美國的蘿絲。

螺絲？？

???

寶貝們，天氣這麼好，
我們去郊外野餐吧！
讓作業一邊兒玩去吧！
爸爸媽媽，我的
作業還沒做完！
今天還要依次去上
奧數、作文、英語
的培訓班呢！
讓培訓班一邊兒玩去吧！
別做夢了，趕
緊給我起牀上
補習班去！
郊外的風景真美麗！
我要放飛自我！
我們的孩子真可愛！

雞缸杯上有兩組圖案，都是雞爸爸和雞媽媽帶着小雞寶寶們在野地裏找食物。

一組是雞爸爸回首關切，雞媽媽跟其中一隻小雞在野地裏啄食蜈蚣，另外兩隻小雞撲着小翅膀正在追逐玩耍；

另一組圖裏的雞爸爸走在前面，昂首護衞。雞媽媽和三隻小雞則低着頭吃蟲子。

兩組圖的中間用

牡丹、蘭草、湖石的圖案

巧妙地隔開。

雞缸杯的杯壁上色彩鮮明豔麗，但內部卻是純白的，沒有任何紋飾。

杯子底部用青花寫了「大明成化年製」六個楷體字。

明代成化年間很流行「鬥彩」瓷器。

「鬥彩」在那個時期達到它的顏值巔峯，它可以說是將釉下青花與釉上彩繪完美地結合了起來。

陶瓷的長相，是靠釉彩來裝飾打扮的，就跟女人化妝一樣。

陶瓷彩飾大體分為

釉上彩和釉下彩兩大類。

用一個最簡單的比喻——貼窗花，你肯定能看出來窗花是貼在玻璃外面還是玻璃裏面吧。一個道理，釉色是浮於器物表面還是與瓷器融為一體，看一看，再摸一摸，很容易判斷。釉上彩的瓷器摸起來有凸起的感覺，釉下彩的瓷器摸起來就很平整光滑。

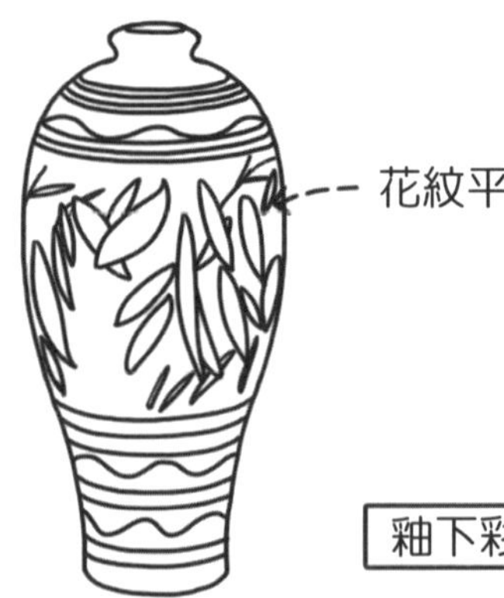

「鬥彩」瓷器在製作的時候要分兩步。

先在素坯上用青花顏料勾勒出輪廓，畫出公雞、母雞、小雞、石頭、牡丹花等的輪廓線，接着上釉放入窯中，經過1300 多攝氏度高温的燒製。

拿出來冷卻後，再用好看的礦物顏料在輪廓紋飾內進行填色，再次入窯經過 800 攝氏度左右的低温燒製而成。

為甚麼要叫「鬥彩」呢？顏色這麼好看我覺得叫「五彩」更好！

你看，畫面中「釉上的彩繪」與「釉下的青花」好像正在鬥豔鬥美，所以大家稱其為「鬥彩」。

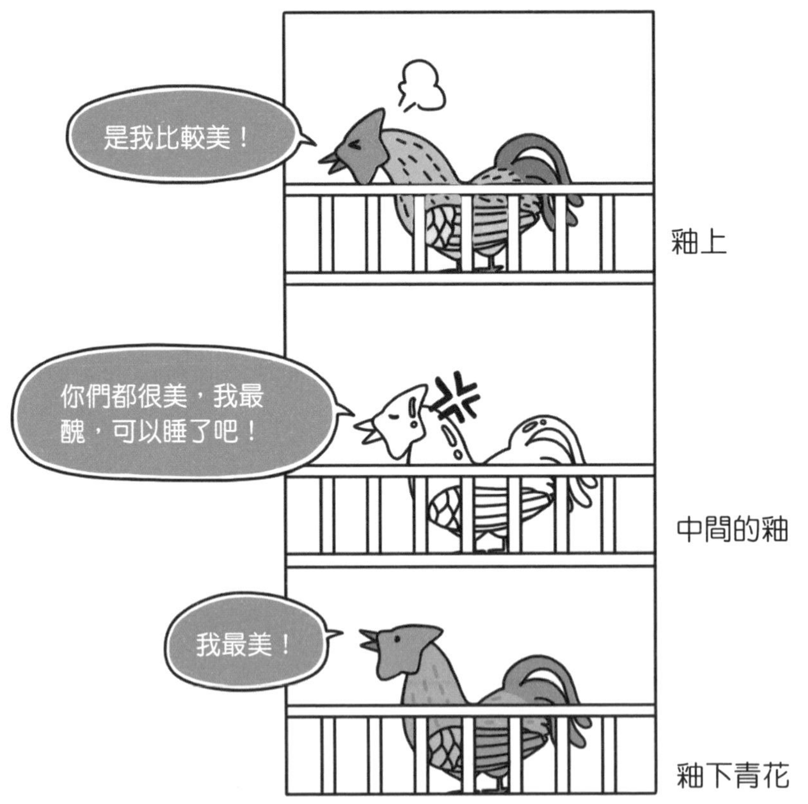

成化就是明憲宗朱見深的年號，他特別喜歡雞缸杯，常用來喝酒喝茶。民間自然也競相仿效，因此，雞缸杯深受文人雅士的喜愛。

據說，朱見深的後代萬曆皇帝朱翊鈞御前就有一對成化雞缸杯，有「值錢十萬」之說。

帝王不都應該喜歡**龍**啊**鳳**啊這類圖案的嗎？怎麼會喜歡農家養的雞呢？

這得從成化皇帝開始說起，成化皇帝朱見深是個孤苦無依的孩子，兩歲還不到的時候他爸爸明英宗出去打仗，沒想到三下兩下就被敵人抓走了。

國不可一日無君，他的叔叔在大臣的擁戴下走馬上任當了新皇帝，就是歷史上的明代宗。

小小的朱見深被廢了太子之位，在皇宮裏孤獨地長大，又寂寞又害怕。他擔心他的叔叔隨時會為了鞏固皇位而殺掉他。

不過，在這灰暗的童年生活中還是有道光，一個比他大了十七歲的宮女萬貞兒，像母親一樣陪伴他、安慰他、照顧他。

朱見深很感謝萬貞兒，後來當了皇帝，還封萬貞兒為貴妃。

可能是童年經歷，讓朱見深對親情極度渴望，據說雞缸杯就是朱見深為了紀念小時候萬貴妃照顧他的歲月，希望家庭和睦、多子多壽而燒的。

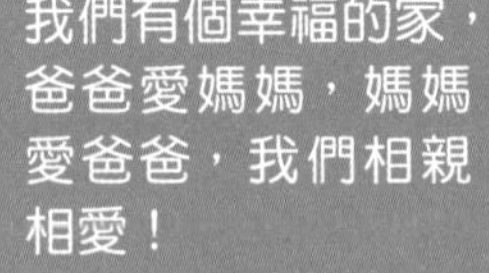

無論傳說如何，時至今日，我們再看到雞缸杯上的圖案，依然感到温馨可愛。

小小博士

作為明代成化皇帝的御用杯，雞缸杯一直被收藏界視為「神品」，精品存世不多，可謂千金難買。2014 年，中國收藏家劉益謙以 2.8 億多港元在香港蘇富比拍得玫茵堂收藏的這件成化鬥彩雞缸杯，刷新中國瓷器拍賣世界紀錄。這位古玩收藏超級愛好者竟然還用這個數億港元買來的杯子喝了茶水，不知道滋味如何呀？

哈哈劇場

之

「開飯啦」

米缸裏沒米了，得添一些。

防虫密封
米缸

東北大米

糟糕！

衝啊！
開飯啦！

文物日誌

星期 _____

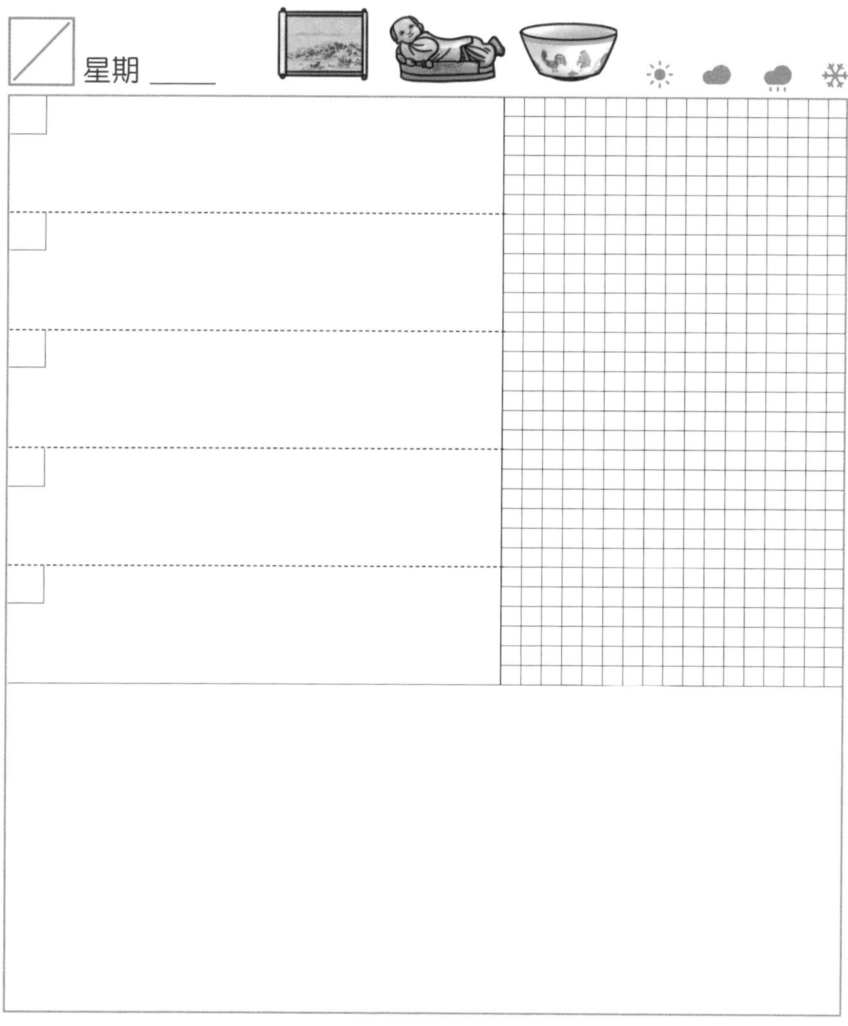

第四站

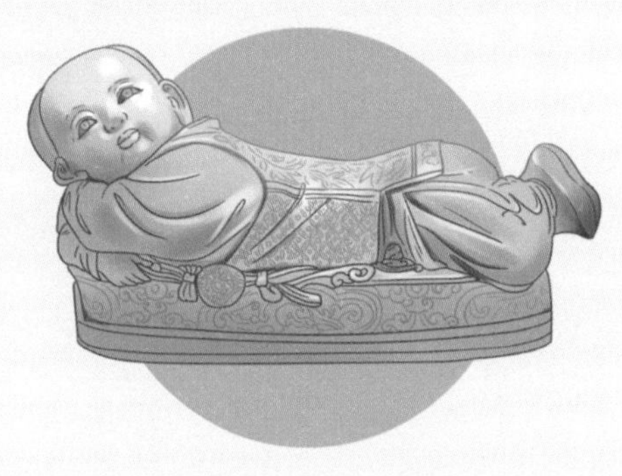

白瓷嬰兒枕

個人檔案

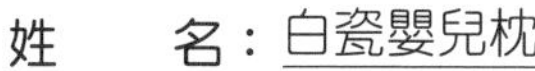

姓　　名：白瓷嬰兒枕

年　　齡：900 多歲

血　　型：瓷型

職　　業：日常生活用品

出生日期：北宋

出 生 地：河南省定窯

現居住地：台北故宮博物院

台北故宮博物院
2019004

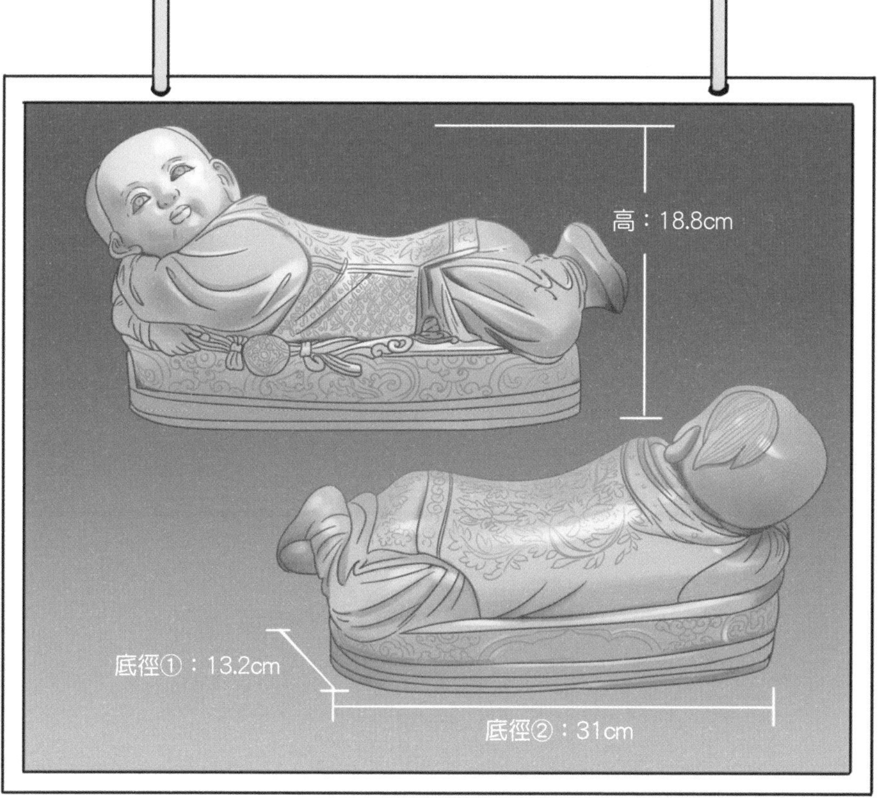

9月4日　星期三　　多雲

今天要給大家介紹一位宇宙無敵小可愛——小白同學。昨天，我收到了小白的照片——肉嘟嘟的小臉蛋，胖乎乎的小腳丫，趴在墊子上歪着大頭打瞌睡，啊，我也好想有個這樣的弟弟啊！

腦袋

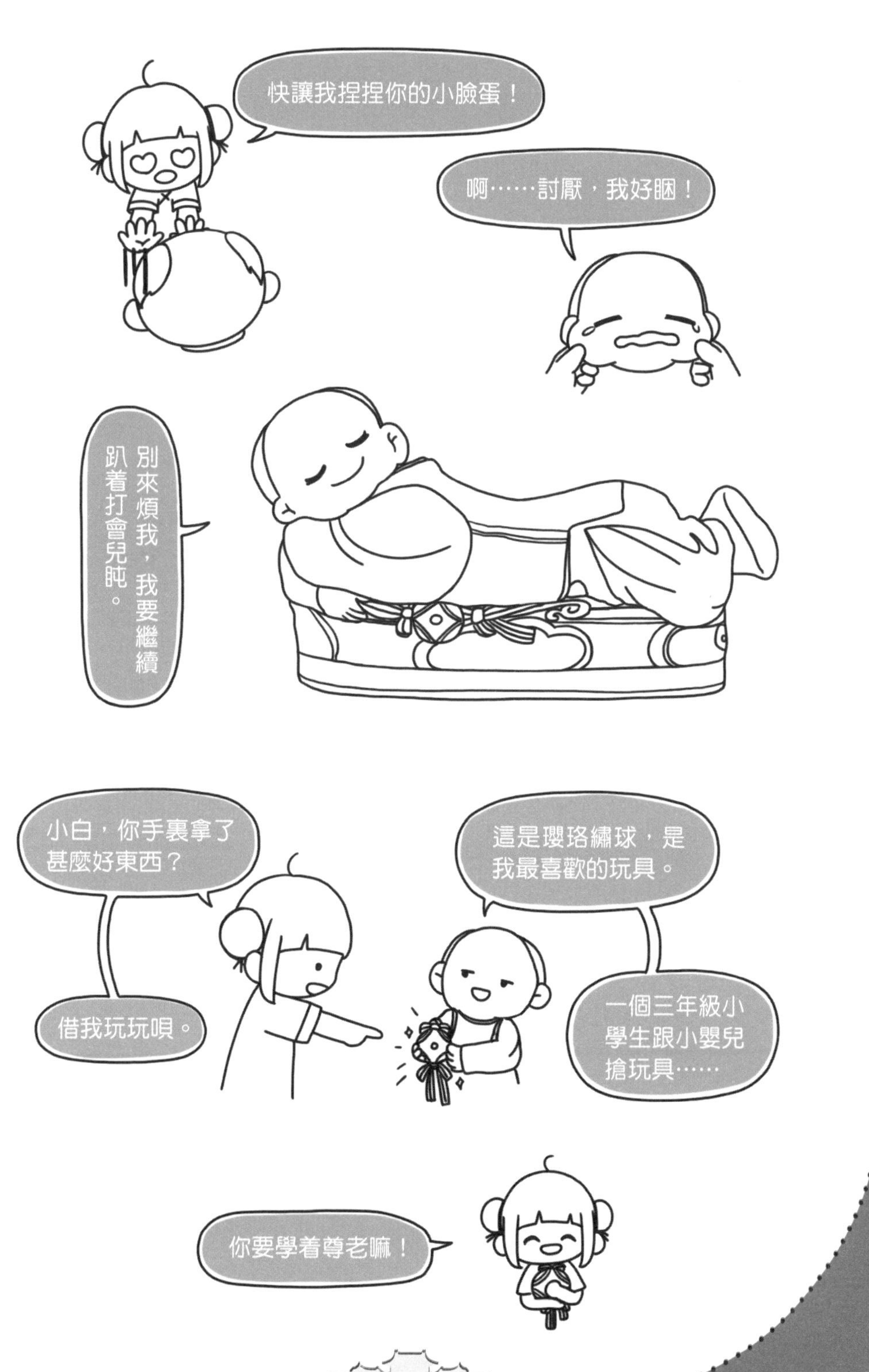
快讓我捏捏你的小臉蛋！
啊……討厭，我好睏！
別來煩我，我要繼續趴着打會兒盹。
小白，你手裏拿了甚麼好東西？
借我玩玩唄。
這是瓔珞繡球，是我最喜歡的玩具。
一個三年級小學生跟小嬰兒搶玩具……
你要學着尊老嘛！

你都趴了幾百年了，陪我聊聊天唄！

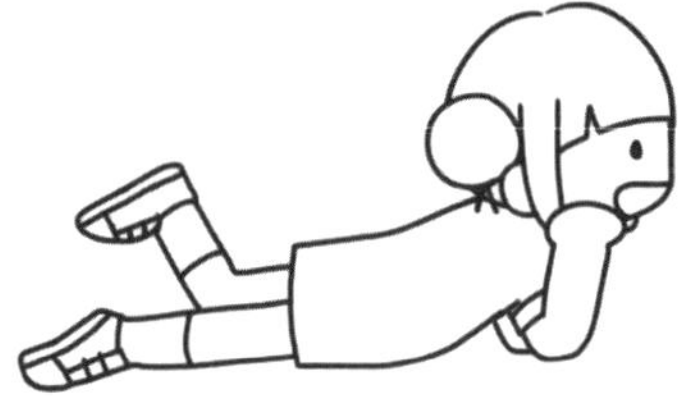

白瓷嬰兒枕的造型真的是非常活潑可愛，一個胖嘟嘟的小屁孩趴在錦墊上，身上穿了長褲長衫，還套了件有花紋的錦緞長背心。他的雙腳在身後交疊，一副優哉游哉的樣子，好不愜意呢。

小白，你的背心真漂亮，尤其是上面的花紋。

這是纏枝牡丹紋。

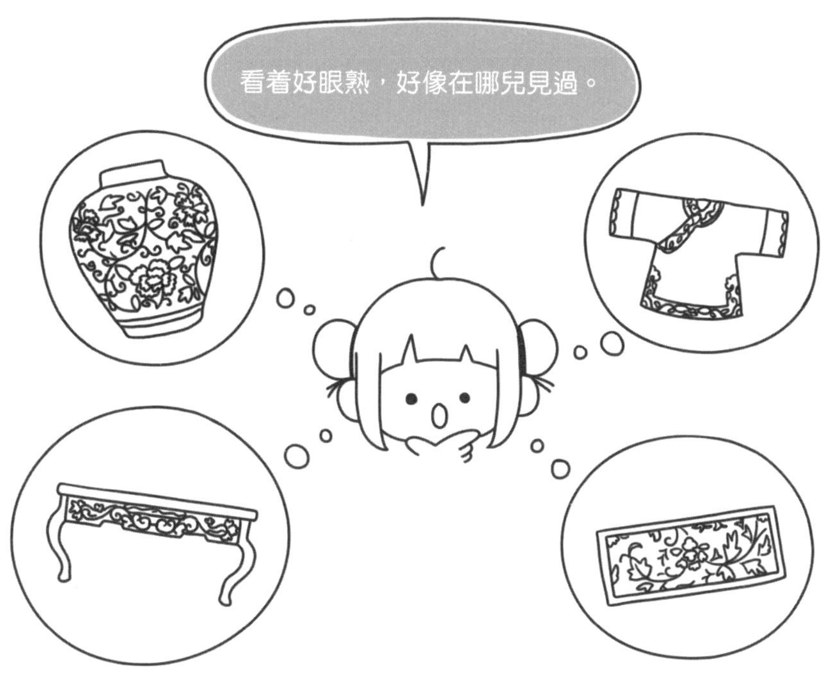

這種纏枝紋是中國古代藝術品的重要裝飾紋樣，你看它一枝纏着一枝，連綿不斷，富有動感，所以也稱為「萬壽藤」，有着「生生不息」的寓意在裏面。

除了纏枝紋，還有蓮瓣紋、捲雲紋、如意紋、回字紋等，它們都是中國古代重要的**裝飾紋樣**。

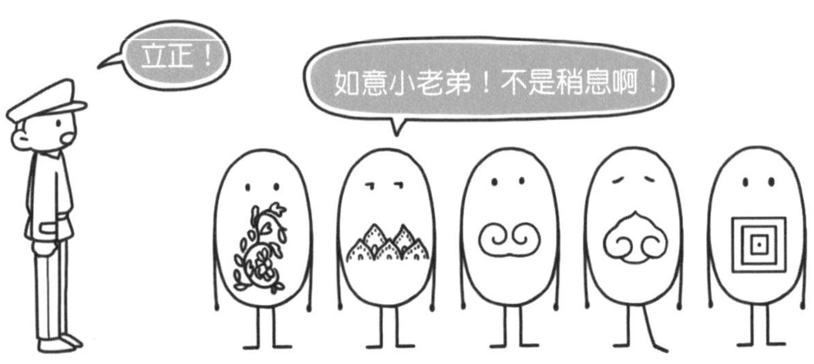

在雕塑、陶瓷、木質家具、漆器、編織、刺繡、玉器、年畫、剪紙甚至糕餅模上常能見到這些紋飾。

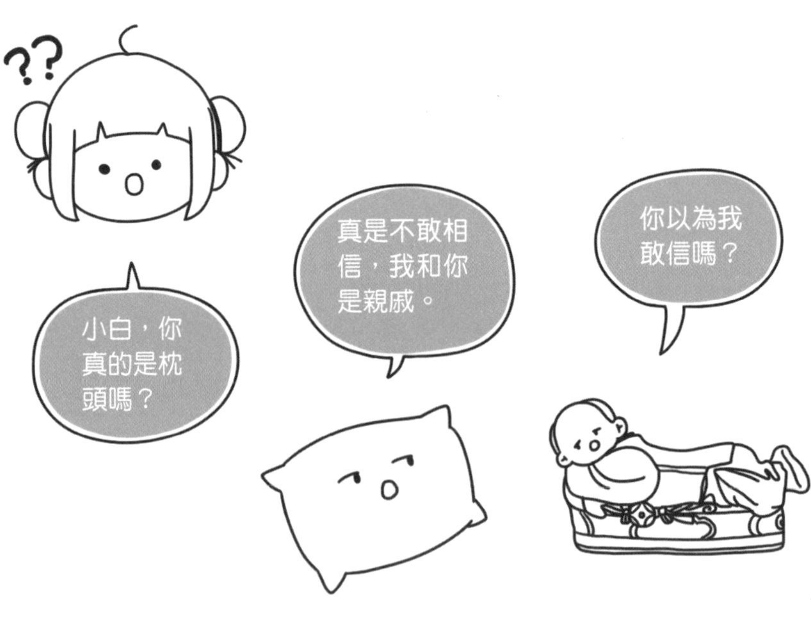

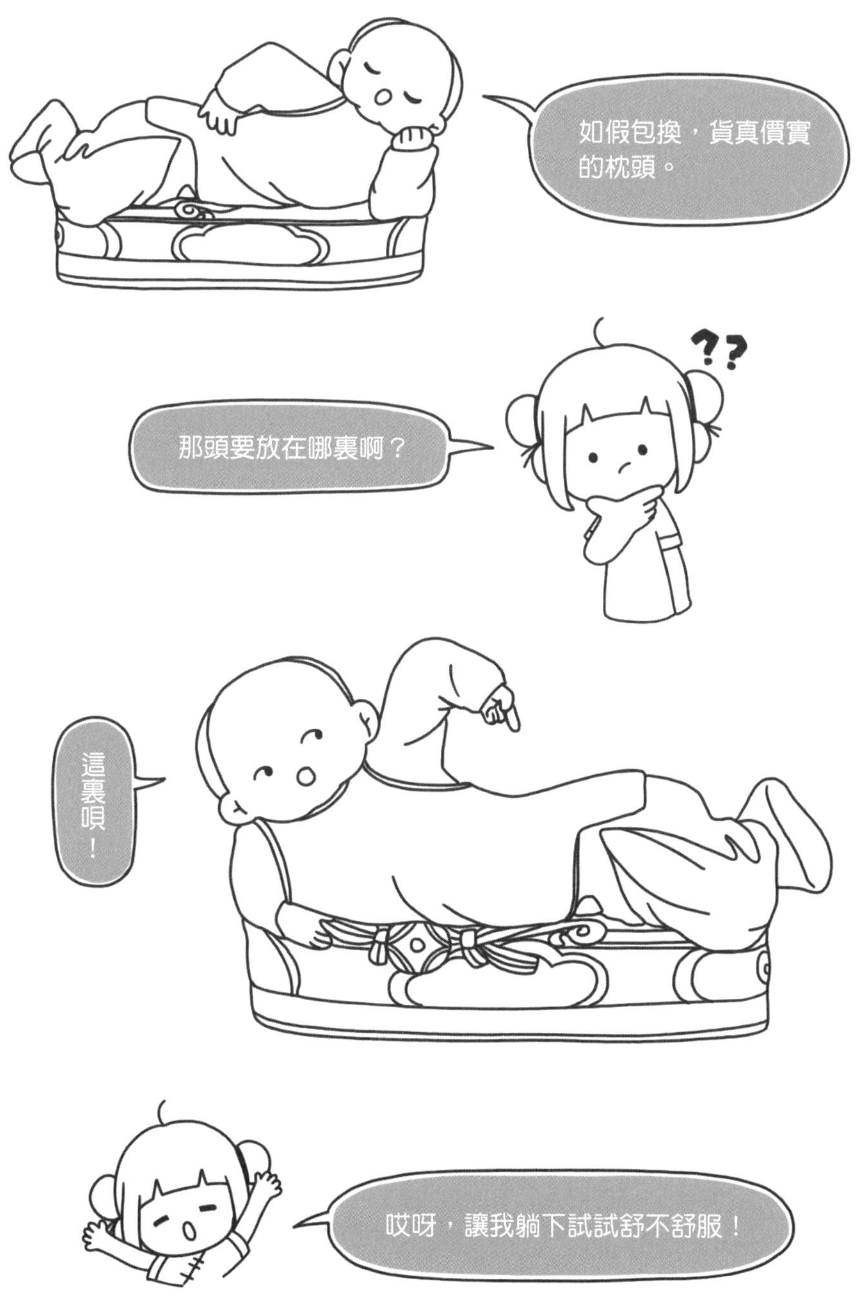
如假包換，貨真價實
的枕頭。
那頭要放在哪裏啊？
這裏唄！
哎呀，讓我躺下試試舒不舒服！

小白，我來啦！
大姐，你能溫柔點嗎？
咚！
啊，痛死我啦！
古人練的是鐵頭功嗎？
挺軟的呀。
喂，君子動口不動手。
我是小孩不是君子！

硬質枕頭

一般用石頭、木頭、竹子、陶瓷、玉這些材料製成。

軟質枕頭

一般是用綢布縫製或者植物的葉子莖稈編織而成。

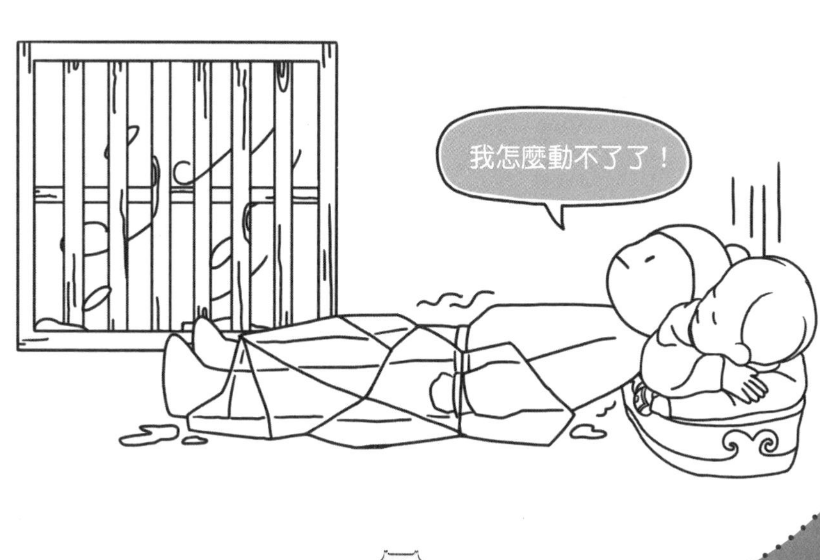

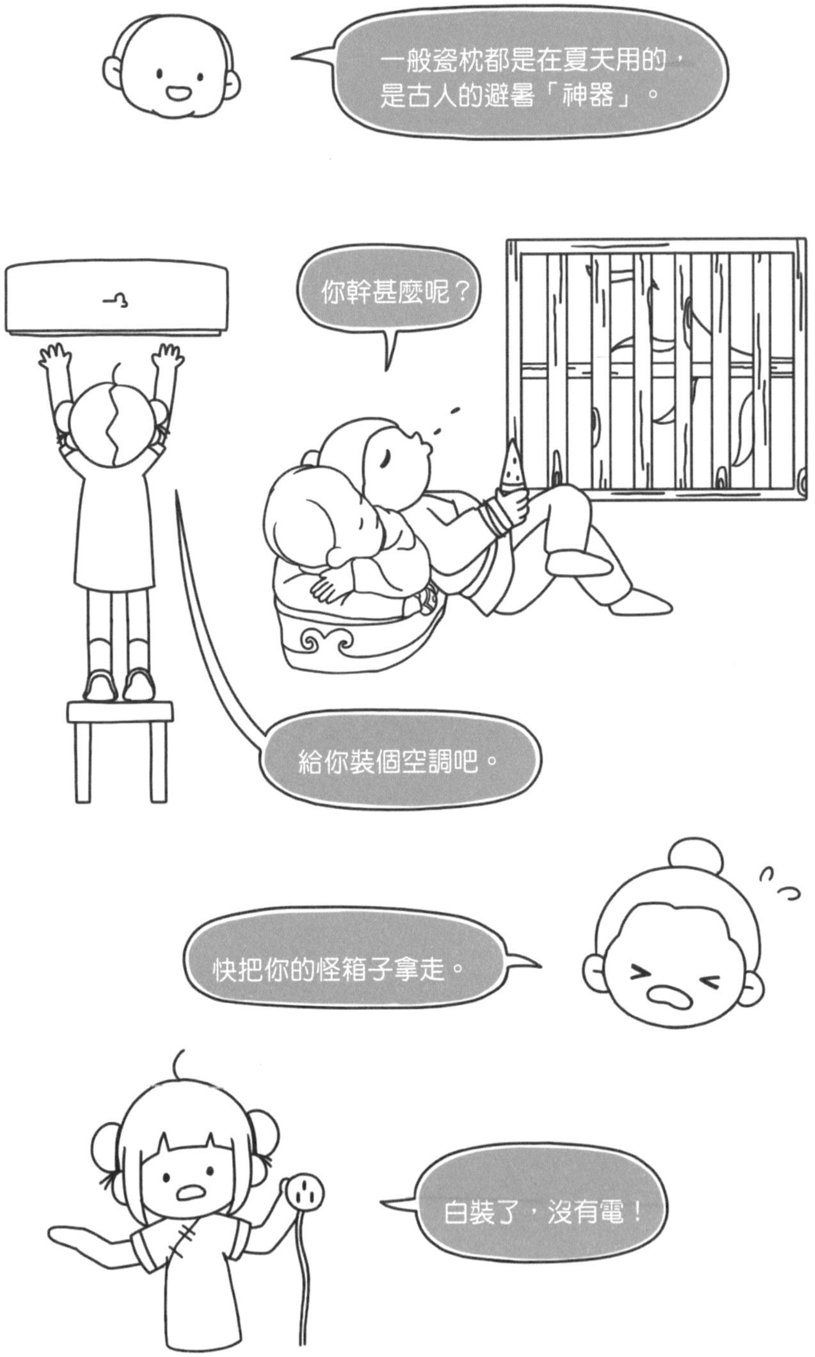

你幹甚麼呢？

給你裝個空調吧。

快把你的怪箱子拿走。

白裝了，沒有電！

咦，這裏怎麼有兩個洞？

這是用來通氣的。因為在燒造瓷枕的時候，內部空氣受熱膨脹，如果沒有通氣孔，那麼密閉空間就會砰地爆裂。

氣總歸是要放出來的！

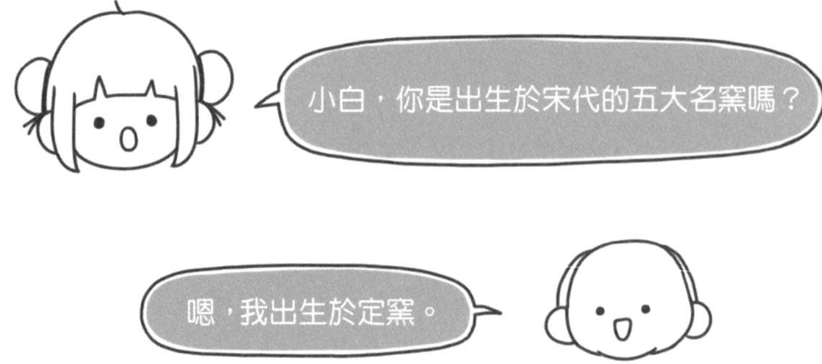

定窯燒的白瓷在北宋可是很出名的。定窯白瓷胎色潔白，胎質細膩，釉面瑩潤如玉，釉色好似象牙白，上面的紋飾也非常秀美，被宋朝政府選為宮廷用瓷，風靡一時。

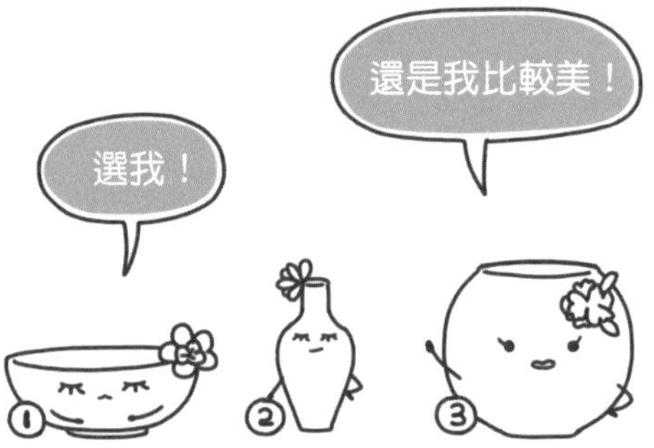

不過，定窯燒白瓷可是受到臨近的邢窯影響：當年邢窯名滿天下，定窯及其他瓷窯相繼仿燒。但後來「定」盛而「邢」衰，到了宋朝的時候人們大多只知道定窯而不知道邢窯了。

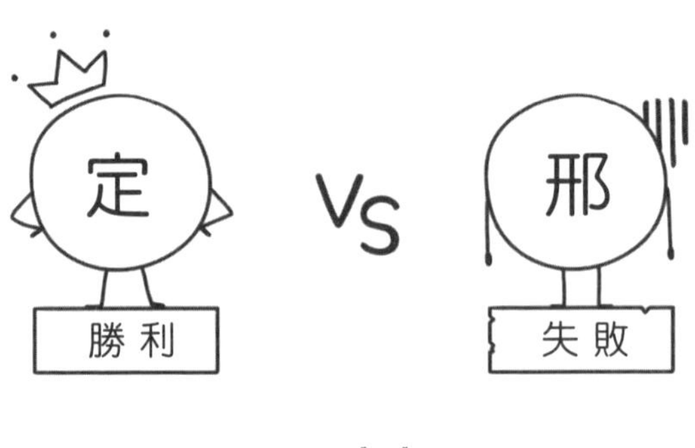

小小博士

瓷枕不單單是一種臥具，它還兼有觀賞和美學價值，單在形狀上就表現各異，令人眼花撩亂：有幾何形狀的，比如六角形、長方形、腰圓形、雲頭形、花瓣形、雞心形等；有做成動物形狀的，比如老虎、龍的樣子；也有人形枕，比如孩兒枕、仕女枕；還有建築形枕。

宋磁州窰白地黑花竹紋枕

現藏於故宮博物院

金定窰白釉剔花捲草紋腰圓枕

現藏於故宮博物院

宋代臥女瓷枕

現藏於三門峽博物館

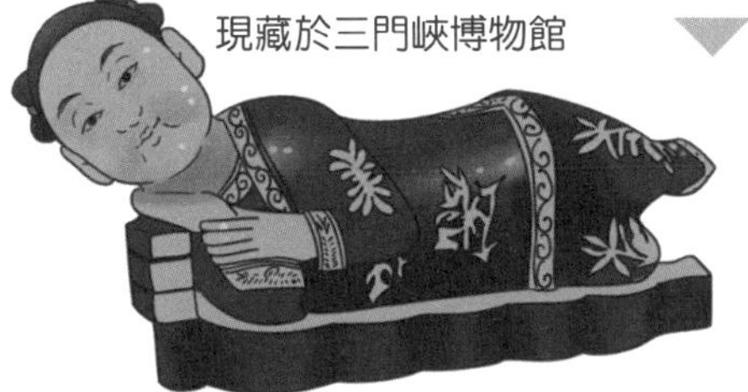

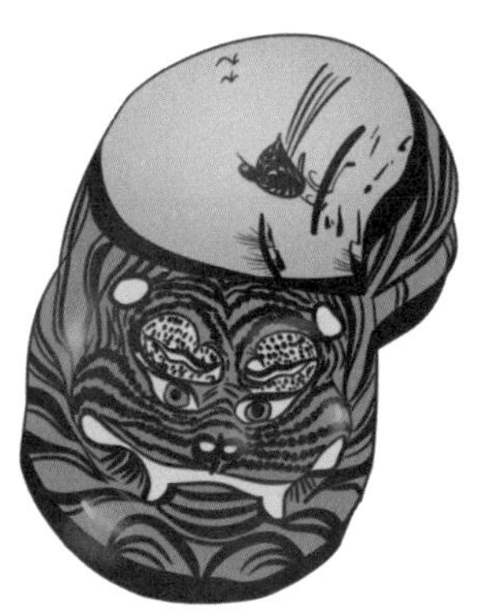

金磁州窰白地黑花鶺鴒圖虎枕

現藏於上海博物館

（註：鶺鴒 粵 隻零 普 jí líng）

哈哈劇場之「練腹肌」

小白兄弟，看我最近練的腹肌，我覺得自己健身成功了！
哦？
嘭！嘭！
看，多結實啊，硬邦邦的！
好睏啊！
哈哈哈，還得練啊小兄弟！
啊！
一秒破功

文物日誌

星期 ____

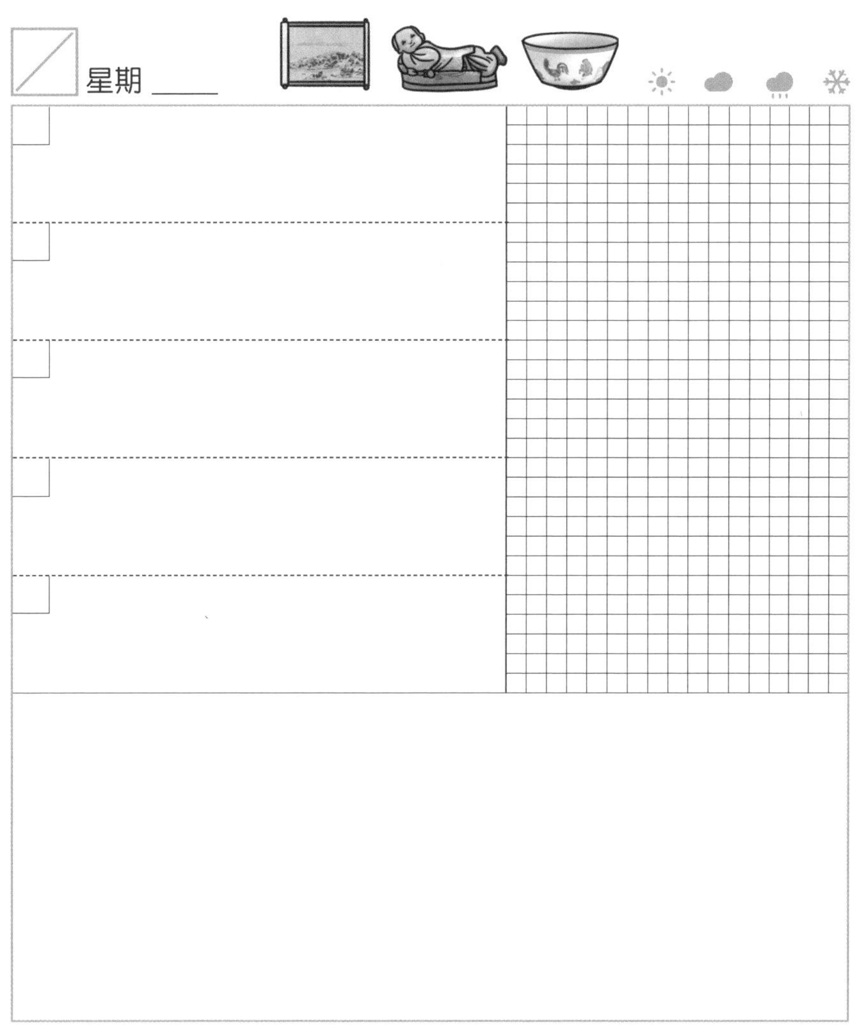

第五站

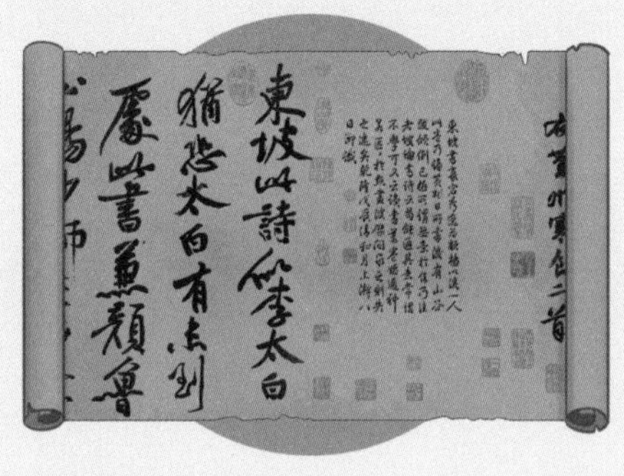

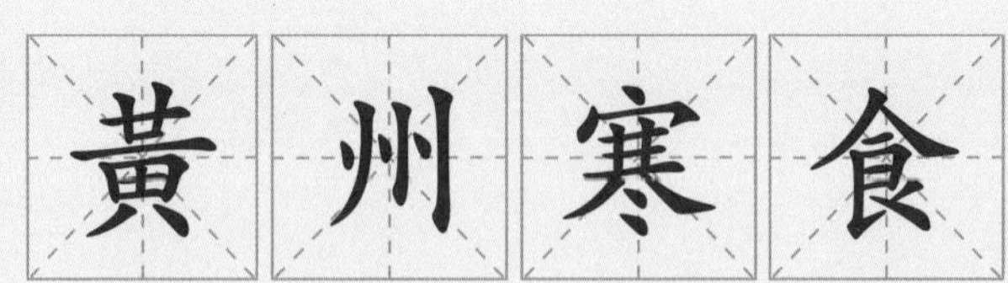

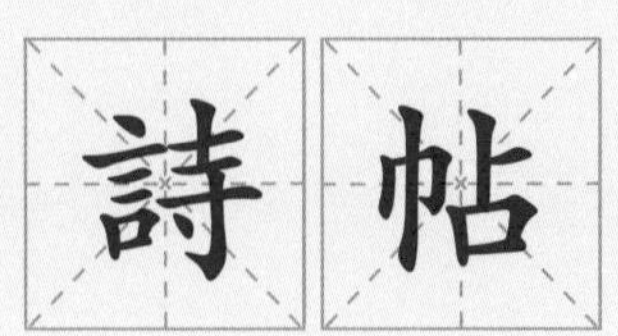

個人檔案

姓　　名：黃州寒食詩帖

年　　齡：900 多歲

血　　型：紙本型

職　　業：書法作品

出生日期：宋朝

出 生 地：湖北省黃岡市

現居住地：台北故宮博物院

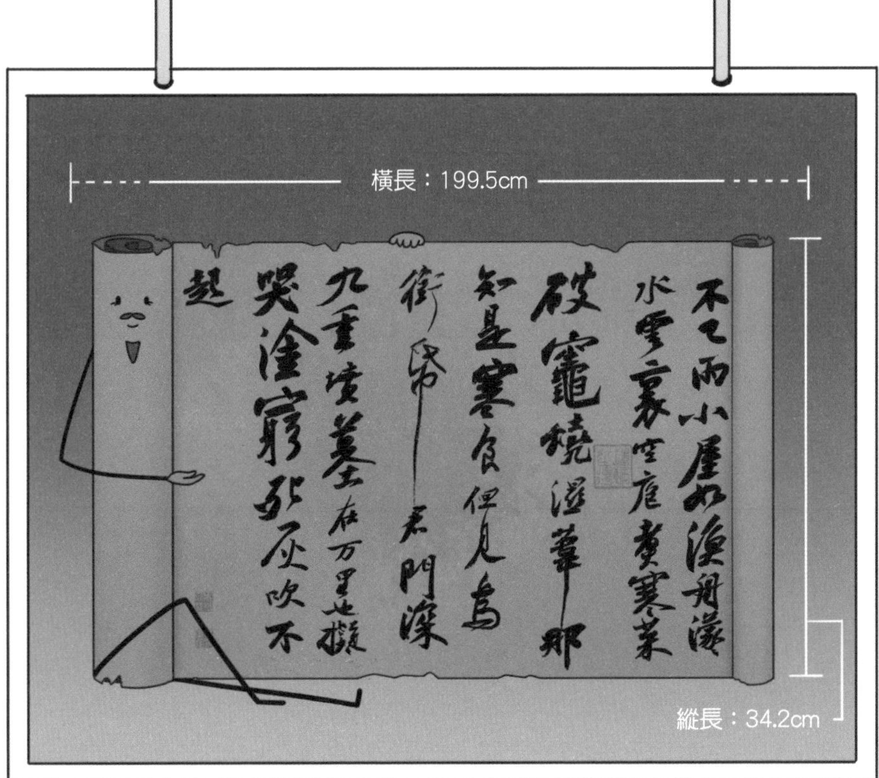

9月7日　星期六　　晴 

媽媽前兩天給我報了一個書法班，說我字寫得太難看了，要好好去練習練習，「修理修理」我的字。今天我要去見的這位書法大師，據說是書法界響當當的人物，我寫的這張名片好像有點兒拿不出手，要不還是用電腦做張名片好了。

先生好，這是我的名片！

電腦製作

幸會！幸會！

交換名片中……

為甚麼要叫您「黃州寒食詩帖」呢？

黃州寒食詩帖｜書法教授
電話：16881688
地址：台北故宮博物院

黃州是個地名，我是蘇東坡在寒食節那天寫的，所以就叫我「黃州寒食詩帖」了。

語文課本官方宣傳照

蘇東坡？莫非就是我們語文課本裏宋代的大文學家蘇軾？

正是正是，蘇軾號東坡居士，所以大家也喜歡叫他蘇東坡，我就是出自這位大文豪之手啦！

原來如此，蘇東坡我們都很熟的啦！

不好意思啊，我也不知道為甚麼語文考試這麼喜歡我。

沒想到蘇軾不但詩詞文章好，字也寫得這麼漂亮啊！

喂，我燒菜也很好吃的。

蘇軾一生起起落落，不過總能進退自如，寵辱不驚。

《黃州寒食詩帖》寫於蘇軾人生最落寞之時：45 歲這年，他去了黃州，當了個芝麻小官，收入很微薄，生活也很窘迫。

好好的大官不做，怎麼跑去偏遠小地方當小官了呢？

因為蘇軾反對王安石施行新法，說了些讓後者不高興的話，得罪了皇帝和改革派，就被貶到黃州去了。

沒錯，就是那個寫《泊船瓜洲》的王安石。

沒想到這兩個大牛人還有過矛盾啊。

友誼的小船
說翻就翻！

竟敢不同意我說的觀點！

瑟瑟  發抖

在黃州第三年的寒食節，剛好是一個雨天，雨下個不停。爐灶冰冷，蘆葦潮濕，孤獨落寞的蘇軾心中頓生悲涼，於是有感而發提筆作詩。

為甚麼詩稿裏有這麼多塗塗改改呢？有些字寫得特別大，而有些又這麼小呢？

突然變大

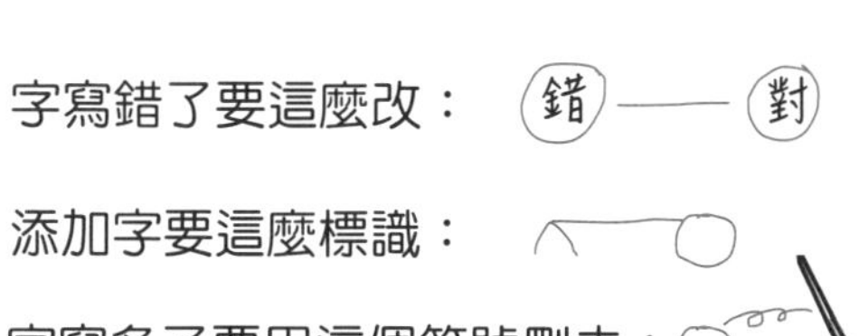

蘇大人，難道您不知道嗎？

現在小學生都這麼有文化了嗎？

詩稿中「病」字是插入的，「子」和「雨」則為多餘去掉的。

這麼多塗塗改改，

可見這是蘇軾即興而作的詩稿。

揮毫潑墨之際，蘇軾心中一定感慨良多，情感波瀾起伏，所以字體才會忽大忽小，筆觸或輕或重，特別是到了「哭塗（途）窮」這三個字，字形猛然放大，顯得特別突兀，給人帶來心驚膽戰的視覺衝擊感。

蘇門四學士之一的黃庭堅

在《黃州寒食詩帖》後面寫了跋。

「跋」就是指寫在書籍、字畫、碑帖等後面的文字，跟「跋」相對應的是「題」，「題」指寫在書籍、字畫、碑帖等前面的文字；

「題跋」的內容大多是對作品的品評、鑒賞。

著名的業餘題跋大王就是大名鼎鼎的乾隆皇帝了，有事沒事就在歷代名畫上寫上一段，點評一番。

大概意思就是說：這個作品就詩本身而言，像李白的自然率性，甚至還有李白達不到的地方。書法上，則兼有顏真卿的厚重、楊凝式的超逸和李建中的遒勁，哪怕是蘇軾本人再寫一次，也未必能夠寫得比這次好。因為它最難的不是技巧，而是心境的自然流露和發揮。

歷代書畫大家對《黃州寒食詩帖》都推崇至極，

認為這是一篇曠世神品。

小小博士

《黃州寒食詩帖》是蘇軾行書的代表作，在書法史上有很大影響力，被稱為「天下第三行書」。而分別位列第一、第二的神作則是名滿天下的《蘭亭序》和《祭姪文稿》。《蘭亭序》講述了王羲之與其好友在浙江紹興蘭亭遊玩之事，書法清俊飄逸、超然絕塵。《祭姪文稿》講的是顏真卿祭奠姪子為國獻身之事，通篇用筆情如潮湧，氣勢磅礴。《祭姪文稿》現今與《黃州寒食詩帖》一起藏於台北故宮博物院，而《蘭亭序》到底藏身何方，至今仍然是謎。

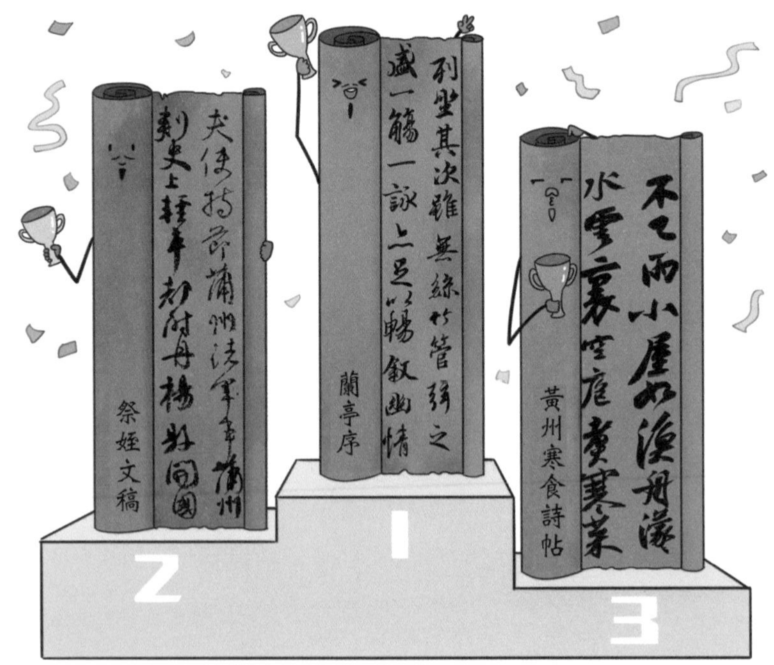

哈哈劇場

之

「午睡時間」

文物日誌

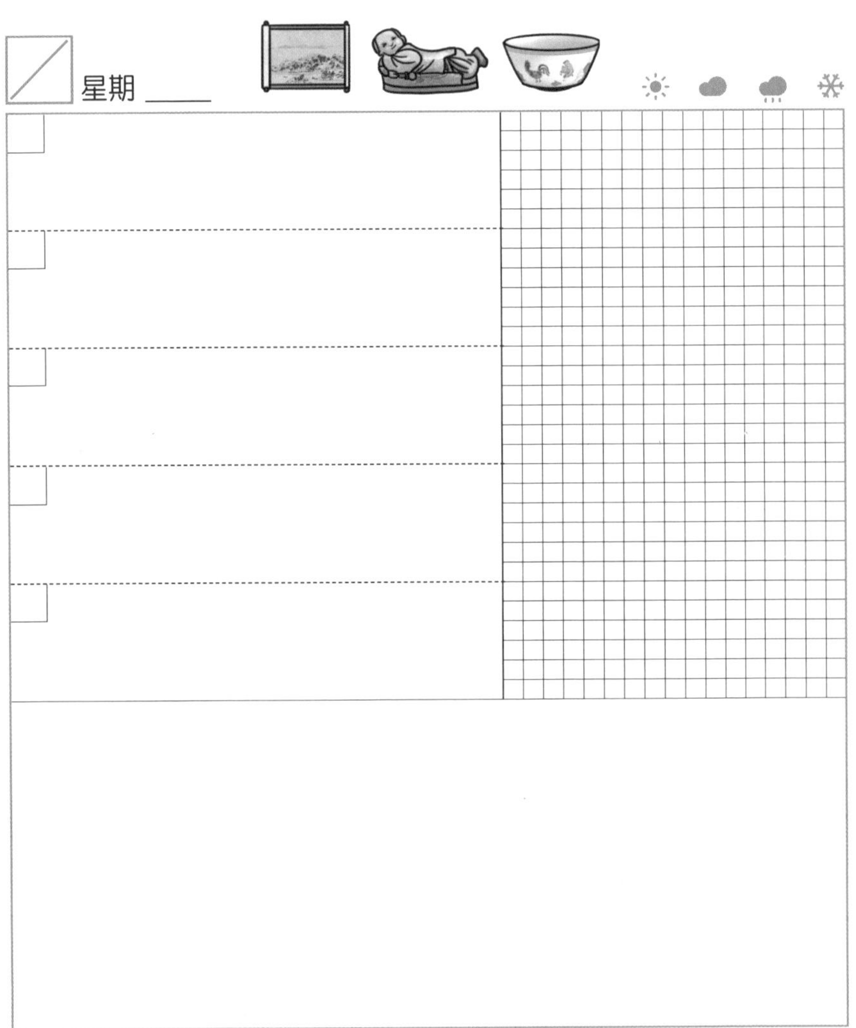

第六站

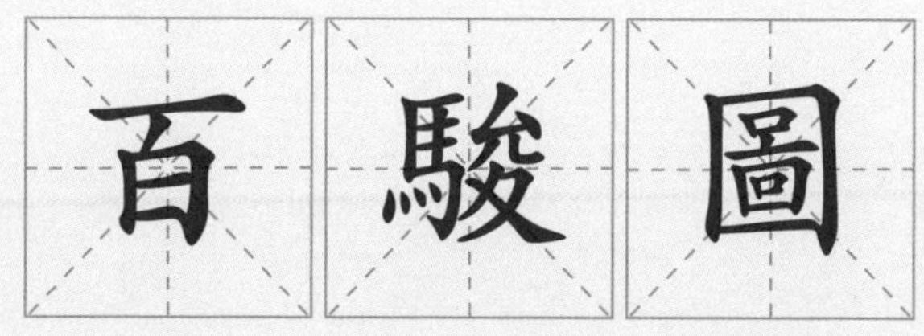

個人檔案

姓　　名：百駿圖

年　　齡：200 多歲

血　　型：絹型

職　　業：畫卷

出生日期：清朝

出 生 地：紫禁城

現居住地：台北故宮博物院

8月12日　星期一　　晴

大家還記得富春山居圖先生嗎？我們今天要去見的這位就是和他齊名的百駿圖先生，他們都位列「中國十大名畫榜」，是書畫界絕對的重量級名人。爺爺說《百駿圖》裏畫了好多好多馬，說不定我都數不乾淨（清楚）。哼，這麼小瞧人，數數我可最拿手了。

百駿？！難道有 100 匹馬？！
得意洋洋的牧場主
那這一定是一位超級有耐心的畫家吧？
告訴我這是誰送我的，我保證不生氣！
百駿圖大拼圖
（10000 片）

《百駿圖》的作者就是清代的宮廷畫師郎世寧。注意啦！他可是個意大利人。

郎世寧是個傳教士，天生的藝術細胞讓他在教會裏嶄露頭角，而在當時的意大利，興起了一股「中國熱」，郎世寧就被教會派往中國傳教。

當時清朝的皇帝是康熙，他老人家雖然不理會郎世寧所信仰的宗教，但也不妨礙把他當作藝術家來看待。

所以郎世寧進了如意館，成為清代的宮廷畫家。這位朗大人在中國期間一直忙着為皇帝、娘娘們畫各種畫，壓根兒沒有時間傳教。

傳教士郎世寧快樂地徜徉在繪畫的世界裏，他在中國從事繪畫長達50多年，深深扎根於大清這片土地。

他歷經了康熙、雍正、乾隆三朝，混得風生水起，為皇室畫了大量的畫作，深受皇帝的器重和喜愛。

郎世寧有着西洋畫的功底，到中國後又接觸到了傳統中國畫，中西方藝術的雙重熏陶讓郎世寧在繪畫上打開了一道新的藝術之門，開創了一套融貫中西的新穎畫風。

他創作出了許多繪畫佳作，比如這幅被後世譽為中國十大名畫的《百駿圖》。

清朝宮廷有着比較嚴格的作畫制度，凡是重要的作品都應該先畫**稿本**，就是我們現在說的草稿，只有當草稿得到皇帝的認可，覺得主題不錯、構圖不錯、意境也不錯的時候，畫師才可以按照草稿的圖樣在絹上正式作畫。

中國古代畫人，大多喜歡畫正面的，畫面上的人臉也不會有陰影，這跟西方畫畫的規則很不一樣。

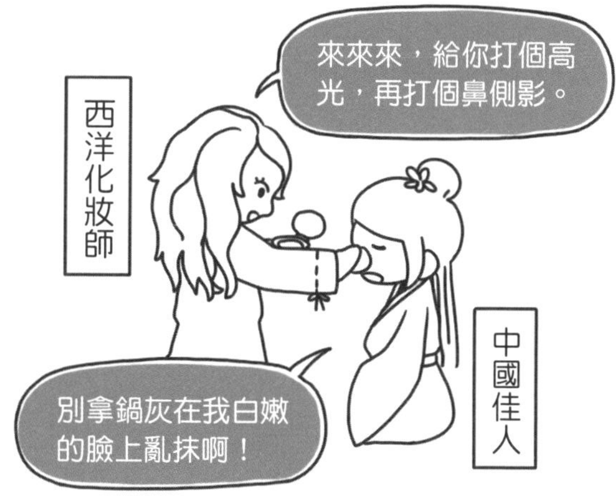

而在郎世寧的《百駿圖》裏，除了姿態各異的駿馬放牧遊憩的場面，還有不少以側臉形象出現的牧馬人。

畫面中無論人物、馬匹，還是樹木、土坡都應用了光的原理，運用陰影技法使繪畫主體顯得凹凸有致，這跟現在姑娘化妝時打高光打鼻側影是一個道理。

佩服，佩服！原來畫畫也這麼講究！

哇塞！畫上真的有千姿百態的馬哦。胖的，瘦的，高的，矮的，追着跑的，半跪着的，打打鬧鬧的，洗澡的，吃草的，喝水的，還有正在喝奶的小馬寶寶呢，太歡樂了呀。

臭美王　小奶馬　大胖子　瘦竹竿

矮個子　長腿馬　美食家　長毛怪

真是栩栩如生啊，馬兒都好像要從畫上飛奔出來了呢。

郎世寧畫馬，是以西方素描的畫法來勾勒馬的外形。至於皮毛和筋腱方面，則通過顏色深淺的變化來表現體積感和皮毛的質感，所以他筆下的馬匹凹凸立體，看着特別寫實。

再看這些樹枝，松針、草葉、石塊的表現手法就是典型的中國畫技法了。

不得不說，郎世寧「中西合璧」的畫法技巧推動了中國傳統繪畫的發展，中國的宮廷畫家也從他這裏了解到西洋繪畫的技法，可以說這位朗大人是中西文化藝術交流的一大功臣。

小小博士

《百駿圖》中除了姿態各異的馬兒，還有好些神形兼具的牧馬人，他們控制着整個馬羣：在帳篷前有三個身穿滿族服裝的牧馬人，不遠處有一個牧馬人正用套杆套一匹跑遠的馬，而另一個牧馬人則在趕攏跑散的八九匹小馬駒。湖中有人在幫馬兒洗澡，邊上有騎馬的牧人帶領着一羣馬兒過河，圖結尾的畫面則是一個手持套馬杆的牧馬人。全圖向我們展示了牧馬人和馬兒其樂融融、和諧相處的美景。

哈哈劇場

之

「西洋化妝術」

文物日誌

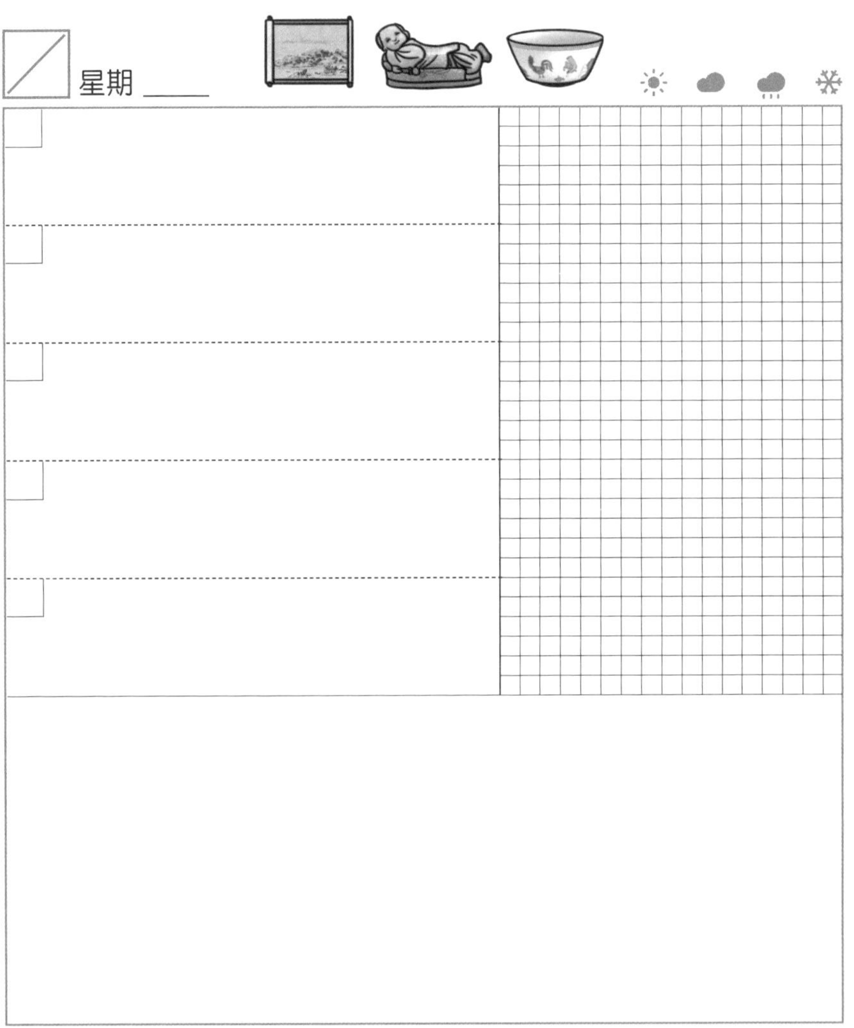

第七站

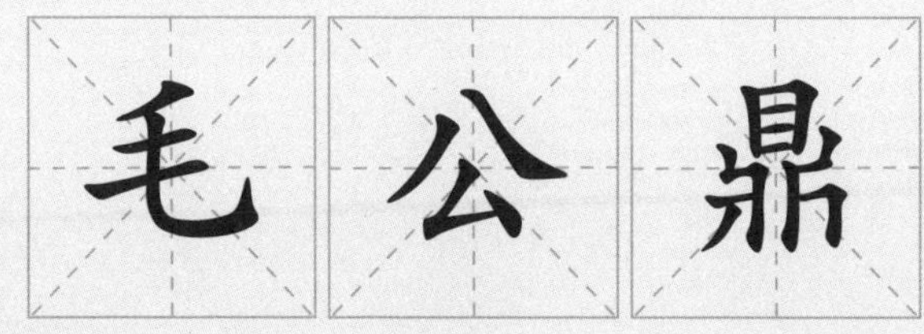

個人檔案

姓　　名：毛公鼎

年　　齡：2000 多歲

血　　型：青銅型

職　　業：禮器

出生日期：西周

出 生 地：陝西省寶雞市岐山縣

現居住地：台北故宮博物院

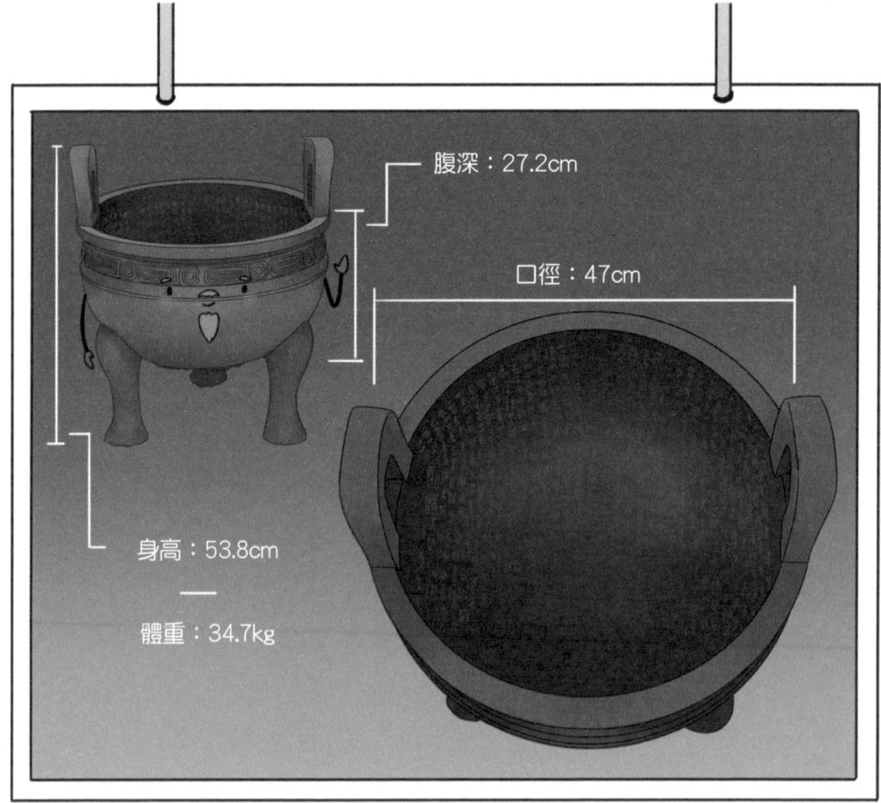

8月18日　星期日　　　　　　　　　　晴 

鐺鐺鐺！！！台北故宮博物院的王牌就要壓軸出場啦，爺爺說，這位毛公鼎老先生可是台北故宮博物院最值得一看的稀世珍寶了。我真是好奇，這是怎樣一件寶物，居然能力壓那麼多熠熠生輝的寶貝成為鎮館之寶呢？我想，他一定超級無敵華麗帥氣！

找了半天，這位大名鼎鼎的毛老先生究竟在哪裏呢？

這位大爺，您知道毛公鼎先生在哪兒嗎？我都兜了好幾圈了。

我就是啊！

啊，失敬失敬！

可是毛公鼎先生，您長得和我想的很不一樣呢。

你覺得我該長成甚麼樣呢？

作為鎮館之寶，您的樣子應該與眾不同。您的把手是噴火龍的樣子，肚子上有怪獸的圖案，怪獸的眼睛是紅寶石做的。尤其是牙齒，是用一顆顆小金子做的，發着閃閃金光，腿上還有盤旋向上的小龍。可是……可是您渾身光禿禿的，樣子很平常，也沒甚麼好看的花紋。

按理說隨着時代發展，工藝技術應該是愈來愈進步的，為甚麼商朝的青銅器造型那麼華麗精美，到了周朝，反倒變得如此簡單樸實？

青銅器製作工藝到了西周有了轉變，尤其到了中晚期，青銅器製作工藝開始由鼎盛期的豪華精麗向端莊厚重轉變，器形大多簡潔實用，紋飾注重樸實簡約。

造型上，西周的青銅器可能比不上商代的匠心獨具，但是就史料價值而言，西周的青銅器又是前朝無法比擬的，因為它們的器壁內部出現了大量的銘文。

商代時候的青銅器即便有銘文，字數也較少；西周後期出現了很多刻有長篇銘文的青銅器，銘文所記載的內容都是研究西周社會歷史非常珍貴的史實資料，毛公鼎就是典型代表。

回合1

毛公鼎之所以聞名天下，成為國之重器，不是因為華麗繁複的外形，而是因為他肚子裏的祕密。

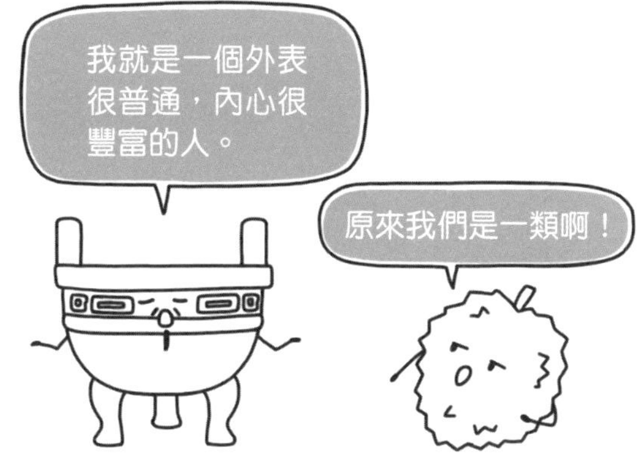

西周歷史杯作文大賽

毛公鼎的內壁鑄有銘文32行，共499字，是現存青銅器銘文中最長的一篇，堪稱西周青銅器中銘文之最。

毛公鼎的銘文內容敍事完整，記載詳實，文風古典精奧，表達了宣王對毛公的諄諄告誡和殷切期望，見證了西周「宣王中興」的歷史，是研究西周晚期政治歷史的重要史料。

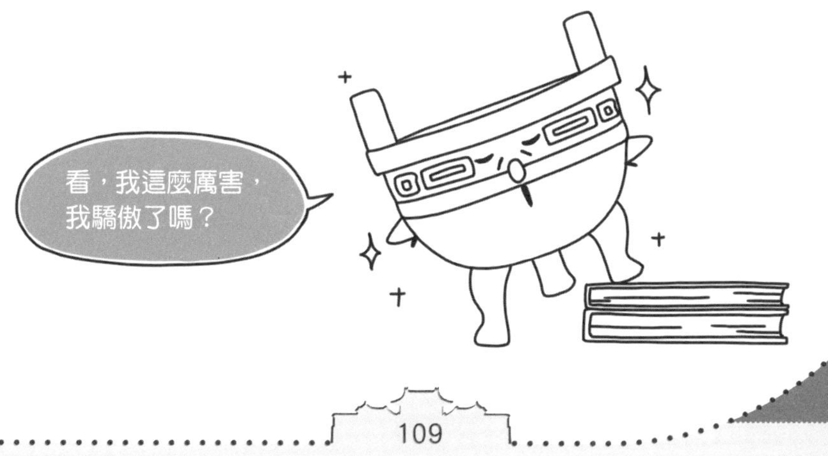

雖然周宣王任用賢臣，恢復國力，但「宣王中興」也不過是曇花一現，難以挽救大廈將傾的西周王朝。

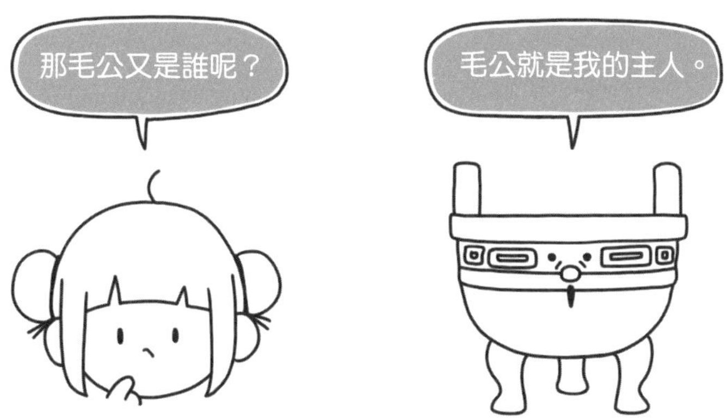

周宣王為了重振朝綱，就請叔父毛公幫忙一起處理國家內外的大小政務。毛公兢兢業業，勤於政事，為表彰毛公的突出貢獻，周宣王賜給他很多好東西。

所以毛公就做了這個鼎，

希望子子孫孫都能傳承下去，銘記這份榮耀。

毛公鼎的銘文不但讓史學界興奮不已，書法界也為此激動異常。銘文的書法極其飽滿莊重，充滿了無與倫比的古典美，以至於出土之時，清末書法家無不為之傾倒。

也正因為如此，自從毛公鼎面世，就一直被各路人馬眼紅，差點流落異鄉。

毛公鼎最初是被陝西省岐山縣的農民挖了出來，後來幾經輾轉，流經了多位古董商、達官顯貴之手，最後落入葉恭綽手中。

擊鼓傳鼎玩起來喲！

在戰亂之時，葉恭綽將毛公鼎託付給姪子葉公超。

當時，日本人覬覦這件中國的國寶，抓了葉公超。葉公超鐵骨錚錚，誓死不說出這件文物的下落。葉恭綽焦急萬分，請能工巧匠造了個假鼎給日本人，救出了葉公超。

後來葉家人生活困頓，毛公鼎轉到了商人陳永仁手中。1946 年，陳永仁將毛公鼎捐獻給政府。 1948 年，毛公鼎被運往台灣。

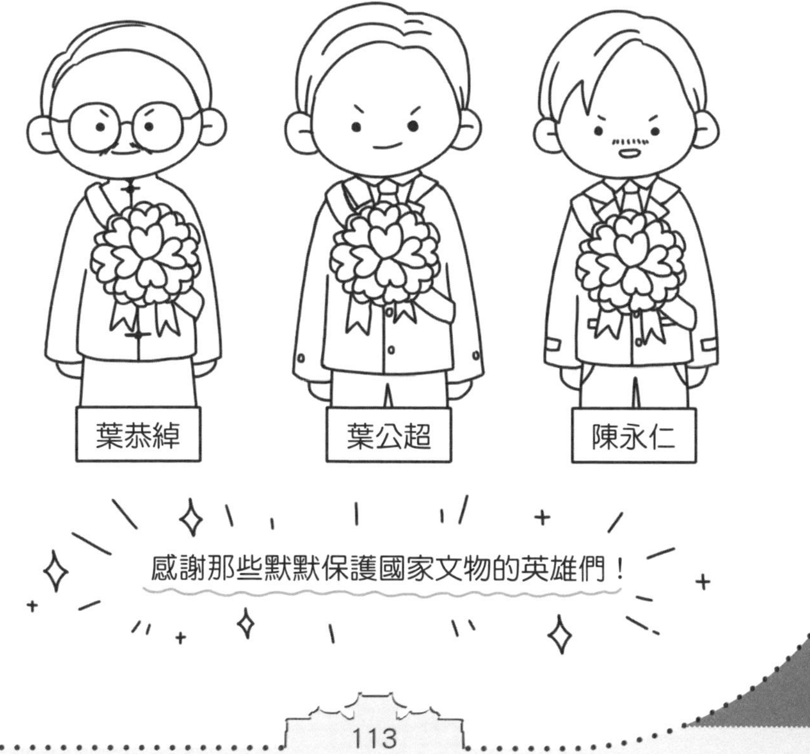

小小博士

西周青銅器的最大特點就是器物上刻有長篇銘文。除了毛公鼎，還有一些刻有銘文的青銅器同樣珍貴無比。如天亡簋記錄了天亡助武王祭祀、武王賞賜天亡之事，是研究西周早期歷史的重要文物，現收藏於中國國家博物館；何尊記述的是周成王繼承周武王遺志，營建成周之事，現收藏於中國寶雞青銅器博物院。還有大盂鼎，記載了周康王在宗周訓誥大臣盂的事情，真實地反映了當時的社會狀況，具有極高的史料價值，現收藏於中國國家博物館。

［天亡簋］ ［何尊］ ［大盂鼎］

哈哈劇場

之

「都是字」

快考試了，媽媽在家裏很多地方都貼了複習資料，這樣好幫助你加深印象。
怎麼哪兒都是字啊……
鼎兄，讓我躲一躲吧。
你確定嗎？
救命啊！
怎麼這裏也都是字啊？！

文物日誌

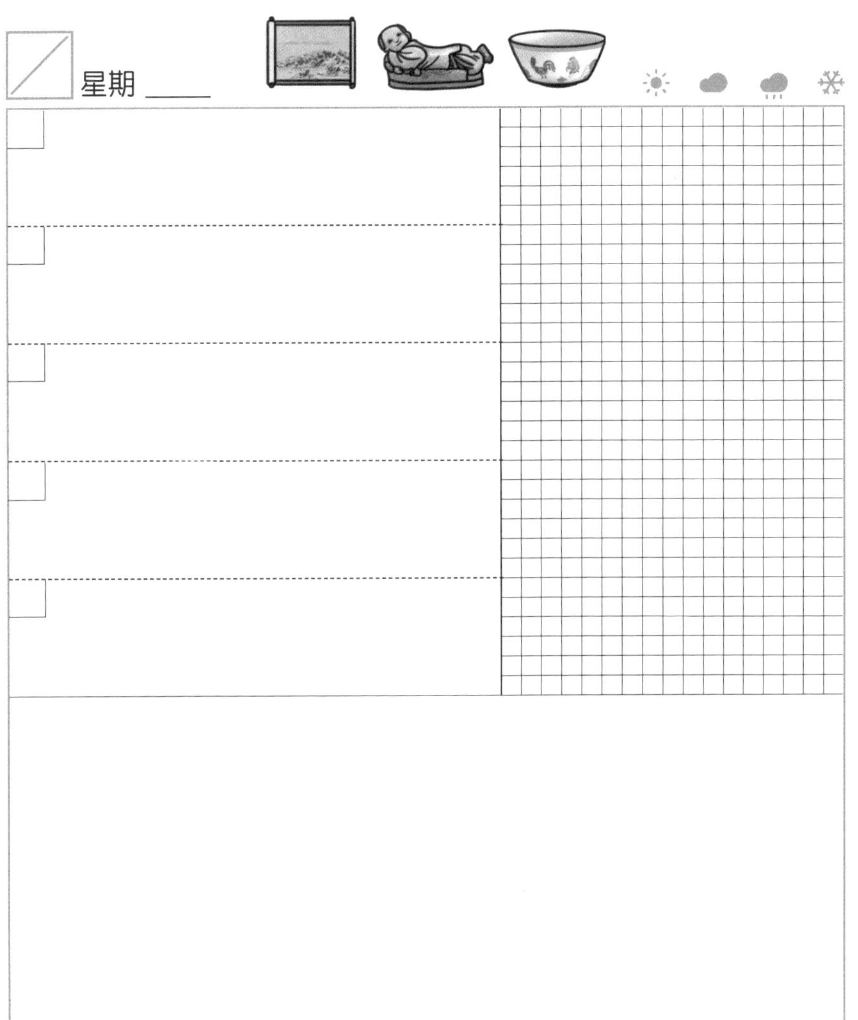

博物館通關小列車

你們準備好了嗎？快來和我一起開啓知識之旅吧！

1 請你幫助這些著名的書畫作品找到它們的作者吧！

張擇端

《富春山居圖》

郎世寧

《清明上河圖》

黃公望

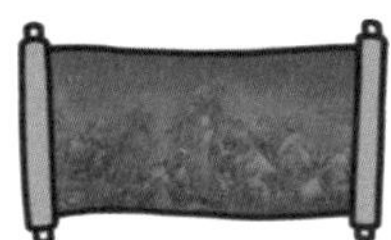
《千里江山圖》

蘇軾

《百駿圖》

王希孟

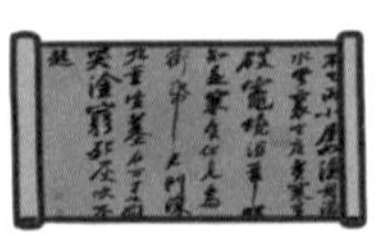
《黃州寒食詩帖》

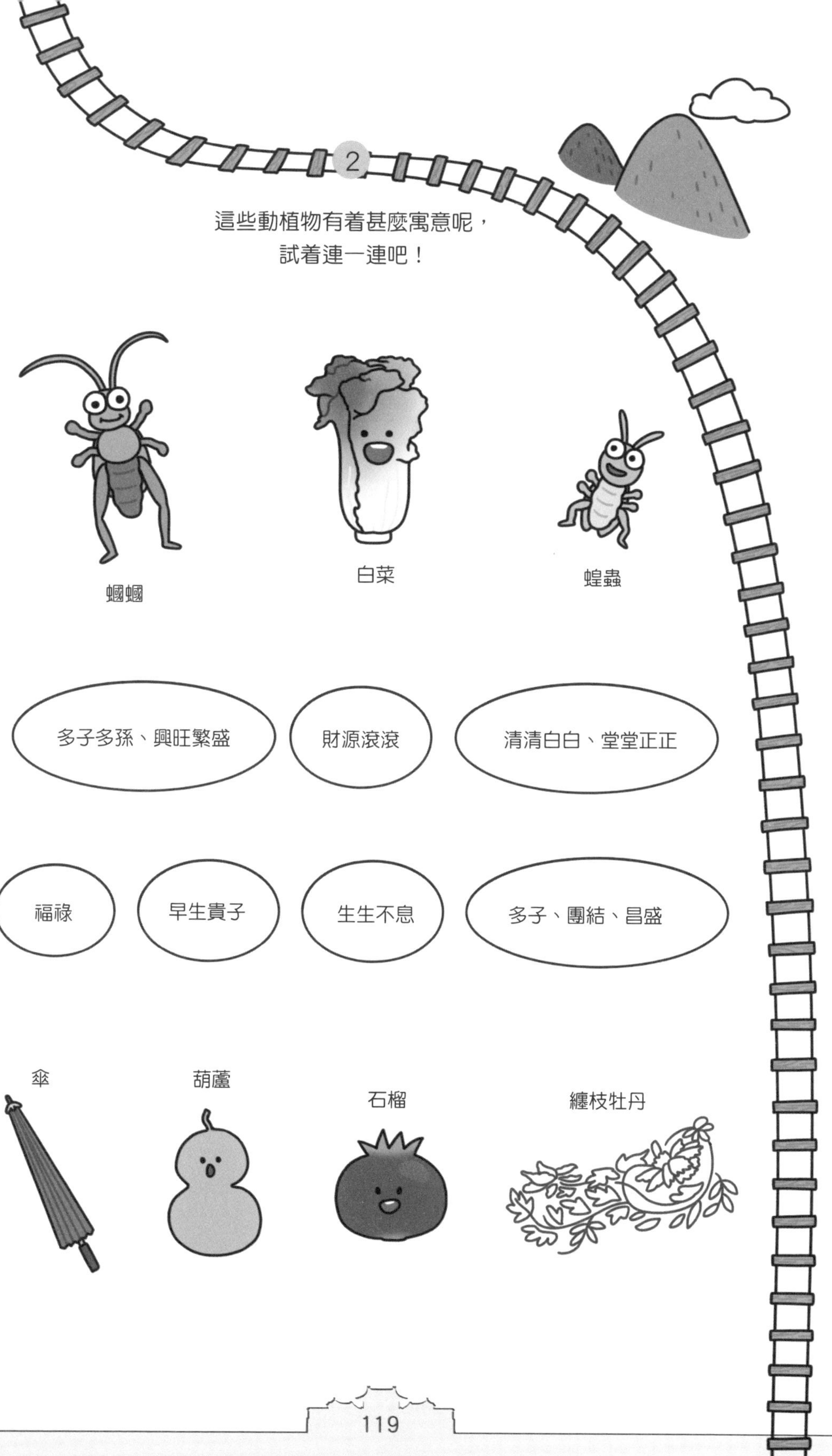
2
這些動植物有着甚麼寓意呢，
試着連一連吧！
蟈蟈
白菜
蝗蟲
多子多孫、興旺繁盛
財源滾滾
清清白白、堂堂正正
福祿
早生貴子
生生不息
多子、團結、昌盛
傘
葫蘆
石榴
纏枝牡丹

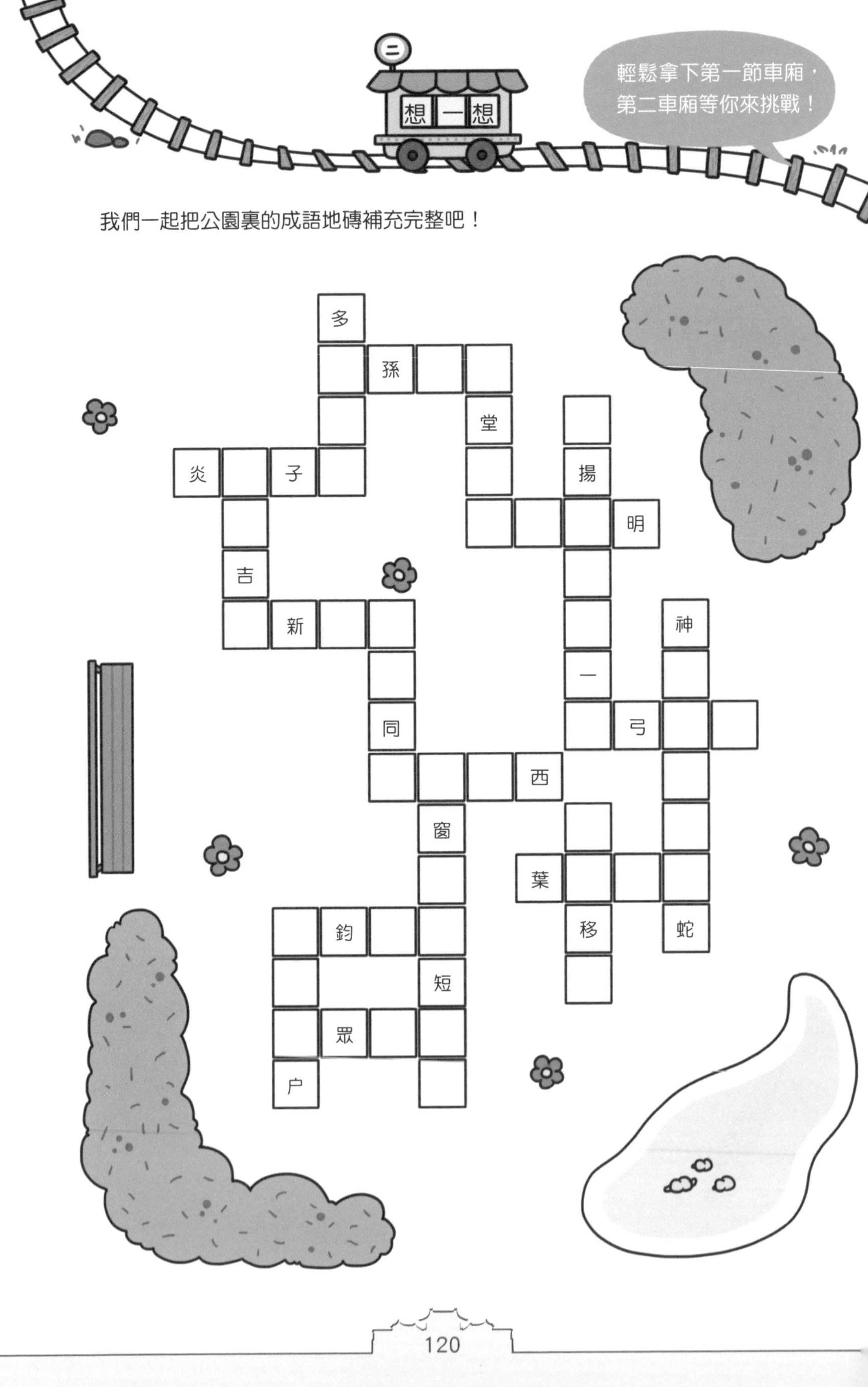
二
想一想
輕鬆拿下第一節車廂，
第二車廂等你來挑戰！
我們一起把公園裏的成語地磚補充完整吧！
多
孫
堂
炎
子
揚
明
吉
新
神
一
同
弓
西
窗
葉
釣
移
蛇
短
眾
户

到達第三關了，擦亮你的眼睛吧！

我們有五處不同呢，快來  找出來吧！

1

2

「和我們一起拍張大合照吧！」

我是答案

我是答案

一 連一連

1.

2.

二 想一想

炎黃子孫　黃道吉日　日新月異

異口同聲　聲東擊西　東窗事發

千鈞一髮　千門萬戶　髮短心長

萬眾一心　多子多孫　子孫滿堂

堂堂正正　正大光明　發揚光大

大吃一驚　驚弓之鳥　神來之筆

筆走龍蛇　葉公好龍　愚公移山

三 找一找

1.

2.

親愛的小朋友，感謝你和博物館通關小列車一起經歷了一段美好的知識旅程。這些好玩又有趣的知識，你都掌握了嗎？快去考考爸爸媽媽和你身邊的朋友吧！

- 答對 8 題以上：真棒，你是博物館小能手了！
- 答對 12 題以上：好厲害，「博物館小達人」的稱號送給你！
- 答對 15 題以上：太能幹了，不愧為博物館小專家！
- 全部答對：哇，你真是天才啊，中國考古界的明日之星！

作者　杜瑩

- 有着無限童心與愛心的「大兒童」
- 正兒八經學歷史出身的插畫師
- 在寧波工程學院主講藝術史的高校教師
- 夢想做個把中華傳統文化講得生動有趣的「孩子王」